# ŒUVRES POÉTIQUES
## DE FRANÇOIS VILLON

# FRANÇOIS VILLON

# ŒUVRES POÉTIQUES

*Texte établi et annoté*
*par*
André Mary
*Chronologie, préface et index*
*par*
Daniel Poirion
agrégé de l'Université

GARNIER-FLAMMARION

# CHRONOLOGIE

**1431** : Naissance à Paris de François de Montcorbier ou des Loges. Sa famille est d'origine bourbonnaise. Il habite avec sa mère dans le quartier des Célestins.
La guerre sévit en France. Jeanne d'Arc est brûlée à Rouen le 30 mai. Paris est toujours sous l'occupation anglaise. Les poètes Alain Chartier et Christine de Pisan viennent de mourir.
L'éducation du jeune François sera confiée à un professeur de droit, maître Guillaume de Villon, chanoine de Saint-Benoît-le-Bétourné. Par reconnaissance, sans doute, François prendra le nom de son protecteur qui lui sera « plus doux que mere », et le tirera de « maint bouillon ».

**1435** : Le traité d'Arras, après la libération de Paris, réconciliant le roi Charles VII avec le duc de Bourgogne, concrétise la volonté de paix qui anime la plupart des gens, en France, à cette époque.

**1440** : Après de longues négociations Charles d'Orléans rentre de sa longue captivité en Angleterre. Il va bientôt se retirer à Blois, se consacrant à la poésie.

**1443** : François Villon est inscrit à la Faculté des Arts de Paris.

**1449** : Il est bachelier de la Faculté des Arts.

**1452** : Il est licencié et maître ès Arts, à 21 ans.

**1453** : Après la Normandie, la Guyenne vient d'être libérée avec la prise de Bordeaux. C'est la fin de la guerre de Cent Ans. A l'autre bout du monde chrétien Constantinople tombe aux mains des Turcs.
Paris semble avoir connu alors de grands chahuts d'étudiants, dont le prétendu roman du Pet-au-Diable

évoque un épisode pittoresque (déplacement d'une pierre célèbre au quartier Latin). Les étudiants, qui troublent les commerçants en enlevant leurs enseignes, ont des heurts violents avec la police. Mais le mécontentement est plus profond : c'est que le pouvoir royal, jaloux de son autorité encore mal assise, veut réformer l'Université, trop indépendante, pour la mettre au pas.

Comme toujours après une longue guerre le relâchement des mœurs est assez sensible. La jeunesse, fortunée ou non, mène une existence tapageuse : on est avide de plaisirs et de richesses.

**1455** : Le 5 juin, jour de fête, une altercation oppose Villon au prêtre Philippe Sermoise, dans le quartier Saint-Benoît. Frappé, Villon riposte, blessant grièvement le prêtre, qui devait mourir le lendemain en pardonnant à son meurtrier « ... pour certaines causes qui à ce le mouvaient ». Villon s'enfuit.

**1456** : En janvier Villon obtient des lettres de rémission et peut rentrer à Paris. A la fin de l'année, durant la nuit de Noël, il organise avec Guy Tabarie, Colin de Cayeux, fils de serrurier, et deux autres crocheteurs le vol de 500 écus d'or au Collège de Navarre. Villon quitte aussitôt Paris pour Angers. Il date de cette fin d'année son premier grand poème : le *Lais*.

**1457** : En mai, Tabarie, « qui est homs veritable », fait d'imprudentes confidences à Pierre Marchand, curé de Chartres. Il est arrêté le 25 juin, et finit par dénoncer Villon, la « question » aidant. Il n'avait d'ailleurs reçu que 10 écus pour sa participation au vol. A cette époque Villon a disparu. On sait qu'il est allé chez l'abbesse de Pourras, c'est-à-dire de Port-Royal, célèbre non pour une sainteté janséniste, mais pour ses débordements. Il a sans doute fréquenté quelques tristes sires affiliés aux « Coquillards » et qui mourront sur le gibet, comme Régnier de Montigny. Mais il est allé aussi à la cour de princes amateurs de poésie, notamment celles du duc de Bourbon et du duc d'Orléans.

**1458-1460** : Il compose un dit flatteur, félicitant la famille d'Orléans, soit pour la naissance de Marie, soit pour l'entrée de la petite princesse à Orléans. Il est probable qu'il a, en une telle circonstance, bénéficié d'une mesure de clémence. En tout cas il a rimé, comme les familiers du prince, sur le thème : « Je meurs de soif auprès de la fontaine ».

**1461** : En mai il est dans la dure prison de l'évêque d'Orléans, à Meung-sur-Loire. Le 2 octobre le nouveau roi Louis XI passe par Meung : Villon est libéré en cette occasion. Il a trente ans. Il compose alors le *Débat du cœur et du corps* et au moins une partie du *Testament*.

**1462** : En novembre Villon est encore en prison, au Châtelet, sous l'inculpation de vol. Il en sort le 7 novembre, sur l'intervention de la Faculté de Théologie. Cette histoire réveille l'affaire du Collège de Navarre et Villon doit s'engager à verser une réparation.

**1463** : Dernière et triste histoire que nous connaissons de lui : Villon est reconnu dans une rixe au cours de laquelle le notaire Ferrebouc reçoit d'un certain Dogis un mauvais coup de dague. Villon est emprisonné le lendemain au Châtelet, « questionné », jugé, condamné « a estre pendu et estranglé ». Il fait appel de la sentence :

> *Quant on me dit, present notaire,*
> *« Pendu serez! » je vous affie,*
> *Etoit il lors temps de moi taire?*

Un arrêt de la cour casse le jugement, le 5 janvier. Villon est banni pour dix ans de Paris. Il écrit alors sa *Requête à la cour* pour obtenir trois jours de sursis, puis il disparaît pour toujours.

**1489** : Première édition imprimée, chez Pierre Levet : « Le grand Testament Villon et le petit, son codicille. Le jargon et ses ballades. »

D. P.

# PRÉFACE

La célébrité de François Villon n'est pas toujours de bon aloi. Les doctes discutent pour savoir s'il n'a été que voleur et meurtrier d'occasion, comme plus d'un mauvais garçon de bonne famille, ou s'il fut vraiment un malfaiteur patenté, affilié à la terrible bande des Coquillards. On a voulu, à partir des documents dont on dispose, imaginer l'histoire d'une vie donnant ce frisson équivoque que le public moderne va chercher dans les salles de cinéma, les cabarets ou les conférences sur la psychanalyse. Evidemment, la trace laissée par un homme dans les archives de la justice ne peut être édifiante. Il est imprudent de chercher la vérité parmi les seuls mensonges que la police, avec une force de persuasion trop efficace, a cru devoir arracher et consigner dans ses pompeux registres. Il est encore plus ridicule de vouloir ramener le mystère d'un poète à des secrets que l'on chuchote dans les prisons, les tavernes et autres mauvais lieux. Entre ce que Villon a pu faire la nuit dans la rue et ce qu'il a pu dire dans ses vers, il y a peut-être un rapport, mais il ne faut pas vouloir ramener l'objet de sa création poétique à des fanfaronnades de voyou. Il est vrai que les personnages de sa comédie humaine ont tous eu quelque rapport — bon ou mauvais — avec le monde judiciaire, et que sa mise en scène évoque surtout soit les mauvais lieux, soit les bâtiments de la justice. Mais c'est là justement un parti pris qu'il nous faut interpréter avec prudence.

Clément Marot disait en effet que pour connaître et comprendre « l'industrie » de sa poésie il eût fallu avoir vécu de son temps à Paris, et avoir connu « les lieux, les choses et les hommes dont il parle ». L'érudition moderne a fait, depuis, d'importantes découvertes en ce sens. On a identifié la plupart des personnes nommées dans ses poèmes. On sait, par exemple, que les trois « pauvres orphelins impourvus » dont il parle, Colin Laurens, Girard Gossouyn, Jean Marceau, sont trois riches usuriers de l'époque ; et cela nous met en garde contre une lecture trop rapide, qui nous ferait prendre des vessies pour des lanternes ! Mais si l'on déchiffre mieux ainsi la part d'anecdote et de commérage qui se mêle toujours aux propos des hommes, et surtout à ceux d'un écrivain satirique, la signification profonde de l'œuvre pose pour nous d'autres problèmes, dont la solution n'est pas dans les archives. Les poèmes de Villon nous frappent d'abord par la fantaisie et l'apparente incohérence qui y règnent. Un constant recours à la plaisanterie, une inépuisable collection de « bourdes » étourdissent le lecteur. S'agit-il alors d'une évasion joyeuse dans le délire verbal, comme dans ces « fatras » et ces « soties » dont la tradition irrationnelle semble avoir distrait un large public au Moyen Age ? Non, car sous le trompeur non-sens du langage on entrevoit un sens caché qui se dérobe et ne se laisse pas réduire au seul mystère policier, mystère encore épaissi par le recours aux cryptogrammes que certains croient voir dans ses vers. Il faut relire Villon en oubliant sa légende ; laissons-le parler : l'ambiguïté de ses paroles est peut-être là pour exprimer justement les contradictions de sa pensée et dénoncer le partage imparfait du monde selon un bien et un mal trop souvent confondus.

L'architecture même de l'œuvre révèle une troublante dualité. D'une part nous retrouvons les formes traditionnelles du lyrisme, rondeaux et surtout ballades, avec leur structure strophique rigoureuse, leur étroite soumission à un rythme et à un thème que contrôle la reprise du refrain : à première vue la ballade de Villon ne diffère pas sensiblement de celle de Deschamps ou de Charles d'Orléans. Mais d'autre part l'élément le plus important de l'œuvre est représenté par ce long discours en strophes de huit vers que le *Lais* d'abord, puis le *Testament* proposent au lecteur. Ici Villon exploite la formule du *dit* narratif, cultivée depuis Guillaume de Machaut par les poètes de cour, soucieux de mêler, sous le couvert d'une fiction allégorique, les confidences personnelles à des dissertations morales. Il s'agit de deux types de composition qui supposent, chez le poète, des inspirations et des émotions très différentes. Dans la ballade les idées s'organisent et se figent selon une perspective contemplative : devant les aspects variés d'une même vérité la pensée s'arrête et médite, la formule du refrain résumant la sagesse des hommes : « Mais ou sont les neiges d'antan ? », « Il n'est tresor que de vivre a son aise ». Le poème est alors comme un chant, une danse, une cérémonie qui nous fait communier avec l'ordre des choses : c'est le lyrisme de l'objectivité. Dans le *dit* strophique au contraire, sautillant sur le rythme allègre de l'octosyllabe et bondissant d'un huitain à l'autre, le poème semble s'improviser avec le désordre des associations d'idées : alors apparaît un nouveau lyrisme, qui a les caprices et la fluidité d'une pensée personnelle, le lyrisme de la subjectivité. La forme n'est plus ici celle d'un chant, mais celle d'un long soliloque, d'une confession, d'une conscience qu'on croit saisir dans sa spontanéité vivante.

Cette dualité de l'architecture poétique peut donc correspondre à deux attitudes différentes de l'auteur en face de son public. D'un côté on peut imaginer un poète conventionnel, artificiel, un peu guindé, poète de cour, à l'occasion, flatteur au besoin, s'adressant à des princes ou à des grands comme les ducs d'Orléans et de Bourbon. D'un autre côté on découvre un poète original, donnant libre cours à sa verve et à son imagination. Mais les faits ne sont pas aussi simples. La présence de nombreuses ballades insérées dans le *Testament* ne nous permet pas d'opposer aussi nettement une œuvre banale à une œuvre originale. Sans doute il peut s'agir à l'occasion d'une « farcissure », le poète utilisant des ballades composées antérieurement pour enrichir, agrémenter un texte qui serait, sans cela, trop long et trop monotone. Le raccord entre la ballade et le contexte est parfois très sensible, la transition très laborieuse, comme dans le cas des ballades *pour Robert d'Estouteville, contre les langues envieuses, sur Franc Gontier*, ou *sur la grosse Margot*. Mais d'autres ballades, surtout au début du *Testament*, se fondent parfaitement avec le *dit* dont elles continuent le mouvement : c'est notamment le cas pour les trois ballades qui regrettent la fuite du temps. Au fond la technique du poète est plus subtile, et le choix des structures ne dépend pas des circonstances et du public, mais de l'inspiration même. Sa poésie associe le mouvement linéaire, horizontal, du monologue au mouvement en quelque sorte vertical

de la chanson, qui permet de prendre un certain recul,
une certaine élévation par rapport aux données immé-
diates de la conscience. Ainsi, combinant les deux types
de poésie qui se partagent, au xv$^e$ siècle, la faveur des
écrivains, Villon réussit une synthèse vraiment heureuse.
Son œuvre tranche sur celles de ses contemporains
qui sont, ou trop esclaves des formes fixes, ou trop
confiants dans le pouvoir du discours. Ce qui n'était
chez d'autres, comme Machaut ou Alain Chartier, que
juxtaposition, devient chez lui fusion expressive.

   N'oublions pas, en effet, la gravité de la crise qui
affecte le lyrisme depuis le xiv$^e$ siècle. Jusqu'alors le
poème restait, théoriquement, tributaire de la musique.
Le texte n'était que le visage littéraire d'une œuvre
faite pour vivre dans la ferveur du chant. Mais tandis
que la polyphonie vient compliquer l'art musical, l'art littéraire cherche à conquérir son autonomie poétique. Les
poètes sont en quête d'un nouveau lyrisme qui ne devrait
plus rien qu'à la seule parole humaine. Sur les structures
anciennes il faut donc édifier une œuvre nouvelle fondée
désormais sur la magie du langage. Il n'est pas étonnant
que les premiers monuments de ce lyrisme moderne se
signalent à notre attention par une certaine fadeur et
une certaine platitude. Il faut attendre Charles d'Orléans
pour que la subtilité du style et la force des métaphores
créent, dans ce genre nouveau, d'authentiques chefs-
d'œuvre.

   La réussite de Villon tient à une formule différente.
Elle n'est pas, comme chez le duc d'Orléans, l'effet d'un
assouplissement apporté au style abstrait et solennel de
la poésie courtoise, mais la conséquence d'une véritable
promotion littéraire dont le poète fait bénéficier le
style populaire et familier. Là où Deschamps et d'autres
petits rimeurs, plus mal embouchés, avaient échoué
par excès de lourdeur ou de grossièreté, Villon réussit
parce que ses hardiesses de langage sont mesurées,
proportionnées à la hardiesse de sa pensée. Le défaut
de bien des poètes était de présenter intelligemment des
idées sottes. Villon a fait de la sottise un langage au
service d'une intelligence supérieure. Ainsi chaque vers
de son œuvre nous réserve une surprise. La vigueur et
la verdeur du langage nous bousculent, la virtuosité de
ses jeux de mots nous étourdit : nous sommes initiés
par cette sorte d'ivresse au monde des arrière-pensées.

   L'élaboration d'une poésie où la ruse dispose à son

gré, pour ses obscurs desseins, des idées reçues est
d'abord très sensible dans le traitement infligé aux thèmes
traditionnels. Il s'agit parfois d'une déformation brutale,
parfois d'une subtile corrosion qui affecte les clichés
de la littérature. Pendant trois siècles la poésie lyrique
avait calqué son inspiration sur les attitudes idéales de
l'amour courtois. Le chevalier orgueilleux y jouait,
devant la dame, le rôle de serviteur humble et craintif.
Masochisme de compensation, épreuve ascétique d'ini-
tiation à la joie pure, ou stratégie habile pour mieux
séduire les femmes ? Dans tous les cas la chanson d'amour
célébrait avec une apparente ferveur les rites d'un hommage qui faisait de l'amant l'esclave de l'aimée. Il est vrai
que depuis le XIVe siècle les notes discordantes se faisaient
plus nombreuses. Du scepticisme à la révolte, la poésie
de cour enregistrait une évolution conforme aux progrès
du réalisme psychologique. Alain Chartier, en proposant
le portrait d'une Dame-sans-merci, qui interdisait tout
espoir à l'amant-martyr, venait de provoquer une violente réaction des avocats de l'amour heureux. Villon
est bien au goût du jour en prenant comme thème
initial de son *Lais* la révolte du mal-aimé : il veut briser,
nous dit-il, la prison amoureuse, et prendre la fuite,
puisque la dame, insensible à son égard, a brisé son
cœur. Mais la grande braderie qu'il organise alors,
distribuant à tout-venant les images morcelées de son
monde familier, nous fait comprendre que ce qu'il
solde ainsi, sur le marché poétique c'est, plus que son
cœur, toute sa vie brisée par un choc douloureux.

D'ailleurs il reprend, dans le *Testament*, le thème de
l'amour malheureux. C'est autour de lui que s'articulent
les deux parties du poème, les récriminations de « l'amant
remis et renié » (strophe LXIX) servant de transition entre
la méditation morale du début et le testament proprement
dit. Les magies de l'amour, nous dit-il, n'étaient que
malices trompeuses de la femme infidèle : « Abusé
m'a et fait entendre. Toujours d'un que ce fût un
autre ». Et cette déception l'amène à une démission :
il renonce désormais à l'amour. Rien n'empêche de
croire que l'amertume du poète réponde à une douloureuse expérience de l'amour. Peut-être le mauvais tour
que lui a joué Catherine de Vaucelles, le faisant rouer
de coups, l'a-t-il profondément atteint dans ses sentiments. Peut-être cette mise au rancart dont il se plaint
a-t-elle réveillé un sentiment d'abandon plus ancien,

celui de l'enfant sans père qui s'attendrira sur les enfants perdus, sinon sur les enfants trouvés. Plus sûrement le mépris et le reniement symbolisent la situation difficile où se trouve Villon par rapport à une société qu'il a d'abord défiée avec insouciance, mais dont la malédiction finit par lui peser.

A côté des thèmes amoureux Villon nous propose en effet une réflexion morale qui s'inspire des thèmes traditionnels tout en leur donnant un accent très personnel. Les notions de Fortune, de Nature, de Mort, les motifs du temps qui passe, des contradictions humaines, les proverbes où se cristallisent la sagesse et la sottise des nations, tout l'enseignement des rimeurs didactiques affleure ici, mais transformé par le pathétique ou le burlesque, par un mélange de pittoresque et d'émotion qui assure une grande qualité poétique à sa leçon de morale.

Ce sont donc les images qu'il faut considérer pour saisir le sens de sa poésie. Villon ne les utilise pas comme des signes chargés de nous révéler l'ordre des choses. Pour lui la sagesse n'est pas inhérente au monde naturel. Il refuse le naïf optimisme des pastourelles. A la bergère et au pain bis ce Parisien, qui a parcouru comme un vagabond hors-la-loi les grands chemins et les campagnes, préfère encore le régime du gras chanoine dont il épie, par un trou de serrure, les ébats « en chambre bien nattée ». S'il évoque volontiers le monde sensible, fixant en croquis expressifs les scènes de la vie, c'est Paris qu'il prend pour décor, avec cette animation déjà désordonnée qui caractérise les grandes villes. Il nous promène dans son quartier, sur la montagne Sainte-Geneviève, sur les rives de la Seine, devant les tavernes de la Cité, au Châtelet ou aux Halles, et dans les quartiers avoisinants de la rive droite, pour nous conduire enfin au cimetière des Innocents. Au passage il note les attitudes des gens, leurs propos et leurs cris, le caquetage des harengères, toute l'agitation et tous les bruits de la ville. Il découpe ainsi des images qu'il rassemble ensuite dans un ordre fantaisiste comme plus tard Arthur Rimbaud ou Michel Butor.

Mais s'il est amusant de regarder ce « mobile » où sont accrochées enseignes et caricatures qui ont incité, plus tard, les dessinateurs comme Dubout à une illustration de ses œuvres, certaines images obsédantes nous invitent à la réflexion. La plume désinvolte saisit, outre les travers des hommes, leur malheureuse condition. La laideur, en particulier, est ici angoissante. Elle apporte un brutal démenti aux conventions idéalistes des hyperboles courtoises. Le corps est là qui impose sa présence indiscrète, non pas avec les formes voluptueusement scandaleuses des rêveries érotiques, mais avec ce lourd fardeau de chair que nous traînons dans la misère, la maladie, le vice, la vieillesse jusqu'au bout de la mort. La poésie n'est plus le lieu d'une contemplation spirituelle, ou un décor de fête galante. Elle fait voir la maigreur des membres, la saleté, le dessèchement, toutes les formes de déchéance physique et de dénuement matériel. Ainsi elle s'attaque au confort moral et intellectuel d'une société qui faisait de la misère un vice et de la laideur une faute. Devant le malheur des pauvres, Villon dénonce la responsabilité d'un monde sans pitié et sans conscience. Ces images sombres ou grotesques, pathétiques ou absurdes, jaillissent sous sa plume au rythme d'une émotion contenue, déguisée, mais qui rejoint, par de tortueux détours, l'interrogation de tout être moral devant l'expérience du mal.

Il est vrai que l'attitude du poète reste très ambiguë. On connaît la définition contradictoire qu'il donne de lui-même : « Je ris en pleurs ». Faut-il prendre cette expression au pied de la lettre ? Toute la ballade composée pour Charles d'Orléans sur le thème : « Je meurs de soif auprès de la fontaine » est-elle un simple exercice de rhétorique accumulant d'artificielles contradictions ? Des critiques comme Italo Siciliano ont scruté avec attention toute l'œuvre du poète pour y distinguer l'âge de la gaieté et l'âge de la tristesse. Après le *Lais*, de ton très comique, Siciliano croit devoir séparer la majeure partie du *Testament*, encore de la même veine, d'un long prologue de 700 vers environ qui serait une méditation mélancolique inspirée par une nouvelle sagesse, celle de l'expérience et même de la vieillesse (et l'ordre du poème ne serait donc pas celui de la création).

Une telle hypothèse, si elle a le mérite de vouloir réhabiliter la sincérité de Villon, risque de méconnaître un aspect essentiel de la création lyrique au Moyen Age : le mélange de sentiments différents, voire opposés. Les progrès de la polyphonie au XIVe siècle ont permis le développement d'une technique déjà entrevue par les trouvères du XIIIe siècle, et qui tend à superposer les registres de sentiments divers. Ainsi l'architecture des motets fait retentir la joie sur un fond de douleur, ou fait briller l'espérance d'un *ténor* liturgique sur l'analyse et le récit d'une histoire d'amour par le *déchant* et *l'alto*. Privée de cet artifice musical la poésie tombe, au XVᵉ siècle, dans les mains de raisonneurs, de rhétoriciens de cour qui répartiront les sentiments en thèses dialectiquement opposées. Mais quelques poètes comme Charles d'Orléans ont cherché à recréer par le seul miracle du langage métaphorique cette épaisseur, cette complexité, cette profondeur que l'étagement des voix donnait aux poèmes musicaux de Guillaume de Machaut. Villon, de son côté, n'a-t-il pas délibérément mêlé le rire et les larmes, parce que ce contraste lui paraissait répondre à la contradiction réelle de sa nature et peut-être de toute nature humaine ? A mieux regarder le *Testament* on voit en effet que la tristesse n'est pas seulement le ton du prologue, mais que, comme dans une symphonie bien faite, elle réapparaît dans le cours du poème. La vision de la mort sert de thème au début :

> *Je congnois que pauvres et riches,*
> *Sages et fous, prêtres et lais,...*
> *... Mort saisit sans exception.*

Mais c'est aussi le thème final, avec l'évocation du cimetière des Innocents :

> *Quand je considere ces têtes*
> *Entassees en ces charniers...*

Il y a une solide unité de thème et de ton qui règne sur tout le *Testament*, et la dernière ballade en rassemble tous les motifs : le martyre amoureux, le bannissement, l'errance, la pauvreté, la fuite dans l'inconscience de l'ivresse.

Mais cette musique nouvelle du lyrisme a quelque chose de surprenant. Le style courtois était en effet fondé sur la « convenance », c'est-à-dire sur l'harmonie de tous les éléments, attitudes, sentiments, paroles, soumis au même mouvement d'idéalisation. De Villon on peut dire au contraire qu'il cherche la dissonance entre les différents registres, la tension entre les idées et les sentiments, et surtout la rupture dans l'enchaînement de la mélodie sentimentale. D'où ces heurts entre formules élégantes et mots grossiers, ce mélange de dialectes, de jargons divers, et enfin cette perpétuelle

dissociation des phrases grâce à des mots violents qui
produisent un effet de rupture, ou grâce à des digressions,
des réticences, des dérobades qui font perdre le fil du
discours. Ainsi à peine commencé, le *Testament* est
interrompu par une longue divagation qui va chercher
au fond de la mémoire la vision du temps qui nous dévore.
Les jeux de mots, les comparaisons saugrenues, les
énumérations hétéroclites tendent au même effet de
dislocation : c'est qu'il y a en Villon un personnage qui
raisonne et un autre qui refuse l'éloquence du sermon
moral. Dédoublement que nous connaissons tous, si
nous sommes attentifs, car enfin notre conscience morale
se fait insidieusement l'écho des enseignements reçus,
tandis que notre corps remet tout en question par ses
désirs ou son indécision. Ici c'est la raillerie, complice
du corps, qui très vite met fin à l'emprise du discours
moral, libérant le poète, pour le meilleur et pour le pire.

Toutes les formes de rire jaillissent de ces poèmes.
Par le ton général l'œuvre se rattache à la tradition
satirique du Moyen Age, celle des *sirventès* de troubadours,
celle des chansons de Rutebeuf et des ballades de
Deschamps. Mais il faut essayer de préciser la signification fondamentale de ce rire qui vient bouleverser,
sans la détruire, l'esthétique du lyrisme. Il y a en effet
un rôle plutôt prosaïque et comique du rire dans la
raillerie cruelle ou l'ironie agressive que Villon réserve
à ses ennemis. Les « girofles » qu'il distribue à Jean
de Ruel, à Noël Jolis, à Jean Raguier ne font qu'exté-
rioriser une haine violente qui peut se traduire aussi
par des ricanements. De Thibaut d'Aussigny, l'évêque
d'Orléans qui l'avait fait emprisonner, il dira : « Je ne
suis son serf ne sa biche », feignant de le confondre avec
un autre Thibaut, mignon du duc de Berry. Pour parler
des gens qui l'ont persécuté, de ceux qui lui ont refusé
leur secours, il trempe sa plume dans un vinaigre savam-
ment dosé en fonction de sa haine. Mais la qualité poétique du rire apparaît surtout dans la vision humoris-
tique d'un monde sans ordre ni raison, où tout respect
s'envole, que ce soit pour Aristote ou pour Macrobe,
pour la police ou pour l'église. Le rire a libéré l'imagination jusqu'alors asservie à la démonstration ; la parodie
a renversé les valeurs esthétiques, morales, religieuses,
qui paralysaient la création littéraire. La poésie libérée
par le rire semble déboucher sur la pure fantaisie.

Cependant la tentation du nihilisme, que trahirait une

poésie du rire total, est justement démentie par les
larmes qui se mêlent au rire. « Tant raille on que plus
on en rit », dit le poète dans un de ses proverbes.
Disons plutôt, que le rire amer de l'enfant perdu ou de
l'amant banni implique un fond de tristesse. Derrière
la valse des apparences, la réalité profonde se révèle à
nous dans la vision du devenir inexorable qui pousse
tout le monde vers la mort. Et l'on comprend qu'avec
l'âge et l'expérience Villon ait accordé plus d'importance
à cette vision en profondeur. Le *Testament* reprend en
l'amplifiant le spectacle de la comédie humaine, simplement esquissé dans le *Lais* et dans quelques ballades
humoristiques comme celle des *proverbes*, celle des
*menus propos* et celle des *contre-vérités*. Mais cette
amplification n'est pas seulement formelle. Elle comporte
une perspective à la fois plus large et plus profonde;
la vision historique est venue élargir la vision familière;
la réflexion philosophique est venue approfondir la
récrimination personnelle. Le poète a fini l'apprentissage
de la vie. Il voit maintenant comment tout s'enchaîne,
comment « Fortune », avec sa « meschance », a forgé
son malheureux destin : malchance que le meurtre de
Sermoise qui a fait de lui, pour toujours, un fugitif ou
un suspect; malchance que le bavardage de Tabarie qui
lui met l'église et la police à dos. Et ce sera encore une
malchance que le coup de dague donné, en sa présence,
par Dogis à Ferrebouc. Ainsi Saturne, la planète malé-
fique, pèse sur son destin :

> — *Voi que Salmon écrit en son rolet :*
> « *Homme sage, ce dit-il, a puissance*
> *Sur planetes et sur leur influence.* »
> — *Je n'en crois rien : tel qu'il m'ont fait serai.*

Pourtant, ce débat du cœur et du corps le montre bien,
le fatalisme n'a pas éteint chez lui le souci moral :

> — *Veux-tu vivre ?* — *Dieu m'en doint la puissance !*
> — *Il te faut...* — *Quoi ?* — *Remords de conscience,*
> *Lire sans fin.* — *En quoi ?* — *Lire en science,*
> *Laisser les fous !* — *Bien j'y aviserai...*

Sans doute le refrain du poème est-il un haussement
d'épaule de garçon entêté qui se moque des bons conseils :

« — Plus ne t'en dis. — Et je m'en passerai ». Mais il
ne faut pas méconnaître ici l'inquiétude authentique
qui l'envahit dans sa trentième année. Par ce dédoublement du *je* et du *moi*, de la conscience qui juge et
du corps qui agit, Villon a fait de sa poésie le témoi-
gnage le plus émouvant sur la vie intérieure d'un homme
tourmenté.

Enrichissement, donc, de la vision personnelle, mais
enrichissement aussi du message que notre poète adresse
à ses amis, à ses lecteurs. Sous la même fantaisie apparente
les dons que le *Testament* distribue se révèlent plus
calculés que ceux du *Lais*. Le premier poème semblait
nous inviter aux jeux du rêve et de l'imagination ; c'était
alors un songe qui s'était emparé de lui : quand il s'est
réveillé il a trouvé son encre gelée dans l'encrier (et ce
fut donc le dangereux sommeil d'un somnambule, car
cette même nuit de Noël il commit le vol du Collège
de Navarre). Mais dans le *Testament* le geste du donateur
a un sens plus profond : il récompense et il admoneste,
il juge, il condamne et il pardonne. Il sait trop bien
comment on se laisse entraîner, comment on glisse sur
la pente du crime, pour ne pas distinguer, parmi les
malfaiteurs, les malheureux des criminels. A ses copains,
à ses amis, « Galants, riants, plaisants, en faits et dits...
Gens d'esperit, un petit étourdis » il a plus d'un bon
conseil à donner. Il sait comment on est amené à dépenser
trop d'argent... « aux tavernes et aux filles ». Après, il
faut vivre d'expédients, trichant au jeu, faisant le pitre
sur les trottoirs et les tréteaux. Et puis, un soir on vole
un commerçant, la police se met de la partie, et de vol
en violence, on peut se retrouver en prison, avec un
meurtre sur les bras. Et là Villon ne plaisante plus.
A ceux qui ne comprendraient pas la gravité du crime
le poète fait voir la corde, et pis encore le feu d'enfer.
Il leur dit :

> *Ce n'est pas un jeu de trois mailles.*
> *Ou va corps, et peut-être l'âme.*
> *Qui y perd, rien n'y sont repentailles*
> *Qu'on n'en meure a honte et diffame...*

Non vraiment, le jeu ne vaut pas la chandelle! Dans
les ballades en jargon le poète répète inlassablement :
« Gare, gare à la corde! ». Sa morale a donc une simplicité
pratique :

> *Voyez comment maint jeunes homs est mort*
> *Par offenser et prendre autrui demaine.*

Mais ne croyons pas qu'il veuille seulement sauver les truands du gibet. Il y a en lui une certaine horreur, et même une terreur devant la mort, qui l'incite à nous faire la leçon. Devant le charnier des Innocents il nous dit gravement :

> *Ici n'y a ne ris ne jeu*

et devant le gibet de Montfaucon :

> *Hommes, ici n'a point de moquerie !*

C'est sur cette méditation qu'il fonde une morale originale, bien différente de la morale sociale. Entre le meurtre et le vol il n'y a aucune mesure. Il proteste contre la justice répressive qui accable les auteurs de petits délits :

> *Necessité fait gens méprendre*
> *Et faim saillir le loup du bois.*

De même il excuse les pauvres filles qui sont venues à la prostitution. La femme ne peut compter, pour gagner sa vie, que sur sa beauté; dès qu'elle vieillit, on la méprise; elle doit donc monnayer ses charmes pendant qu'il est encore temps. Au reste, le poète parle de la vie sexuelle des filles légères avec une indulgence plus raisonneuse que vicieuse. Il imagine facilement leur histoire : elles étaient d'abord aussi honnêtes que les autres; puis elles ont pris, comme il est naturel, un amant, auquel elles sont restées quelque temps fidèles. Puis elles ont senti le besoin d'en avoir d'autres :

> *Qui les meut a ce? J'imagine,*
> *Sans l'honneur des dames blâmer,*
> *Que c'est nature femenine*
> *Qui tout vivement veut amer.*

L'explication vaut ce qu'elle vaut, mais elle est dictée par la même sympathie que Villon manifeste pour toutes les victimes de la vie sociale.

C'est par la pitié que le poète rachète tous ses défauts et toutes ses fautes. Cette pitié n'est guère apparente encore dans le *Lais ;* Villon se moque un peu de tous, même des malades :

> *Item, je laisse aux hôpitaux*
> *Mes chassis tissus d'arignee.*

Mais dans le *Testament* il n'ose plus railler les miséreux :

> *Item, ne sais qu'a l'Hôtel Dieu*
> *Donner, n'a pauvres hôpitaux ;*
> *Bourdes n'ont ici temps ne lieu,*
> *Car pauvres gens ont assez maux.*

Et cette pitié devient appel à la fraternité humaine dans la célèbre ballade des pendus :

> *Frères humains qui après nous vivez,*
> *N'ayez les cœurs contre nous endurcis,*
> *Car se pitié de nous pauvres avez*
> *Dieu en aura plus tôt de vous mercis.*

L'intercession du poète (qui sait prendre au besoin un ton plus intime et plus délicat, par exemple dans la prière qu'il compose pour sa mère) rend au lyrisme une vocation que la servilité des poètes de cour avait quelque peu sacrifiée. Avec Villon la poésie n'est plus seulement au service des grands, elle n'est plus chargée du seul éloge de la beauté et de la vertu des nobles. Sans doute, à l'occasion, notre poète a-t-il su flatter, par intérêt ou par reconnaissance, et non sans mêler un peu d'humour à ses compliments. Mais son mérite est tout de même d'avoir rappelé les farfelus et les malheureux à la conscience de la dignité humaine. Cette dignité était en effet déniée par la société aristocratique aux petits clercs comme aux jongleurs, *a fortiori* à tous les misérables et les gueux fréquentés par Villon. La personnalité du pauvre ne pouvait être reconnue dans un monde qui ne respectait que la noblesse et la richesse. Tout au plus accordait-on au petit artiste, à l'ouvrier du vers, le droit de faire le pitre. Et Villon comme les autres se présente d'abord à son public en faisant des grimaces. Mais les humiliations qu'il a subies ont dû finir par provoquer en lui une salutaire révolte non seulement contre les illusions et les niaiseries d'un amour courtois refroidi, mais contre toutes les fausses grandeurs au nom desquelles on accable les petites gens.

Finalement il en est venu à prendre la parole pour tout ce menu peuple qui comme lui, « ... oncques de terre n'eut sillon ». Après avoir eu honte et gêne de sa pauvreté, il a fini par y trouver la force d'une nouvelle et généreuse croisade. Ses souffrances, il les dédie à tous ces pauvres diables, qu'il fait défiler dans son *Testament* :

> *A musards et claquepatins,*
> *A servans et filles mignottes...*

Et si l'on s'inquiète de le voir réserver ses bons sentiments à des gens un peu équivoques, plus ou moins compromis dans des affaires qui trouvent leur épilogue au Châtelet, comprenons bien qu'il a justement voulu rédiger le testament des déshérités, pour protester contre un ordre social qui promet la paix éternelle aux riches sans aucunement se soucier des pauvres : « Les mons ne bougent de leurs lieux Pour un pauvre, n'avant n'arrière ». Mais au-delà de cette mission, qu'il a peut-être fini par remplir à son corps défendant, poussé par la seule logique de l'amitié et de la fraternité, il est pour nous comme une source toujours vivante de joie spirituelle. Il répond en effet à cette soif de justice que la société d'aujourd'hui est encore loin d'avoir satisfaite. Le courage, la lucidité, la tendresse humaine de ce repris de justice qui restait épris de vraie justice sont pour nous un exemple et un soulagement. Avec lui nous espérons, et peut-être nous préparons, la grâce d'un monde meilleur en murmurant, comme il l'a fait chez un prince également nostalgique : « Je meurs de soif auprès de la fontaine ».

Daniel POIRION

N. B. — Les gloses suivies des initiales *(D. P.)* sont de M. Daniel Poirion; toutes les autres sont d'André Mary.

# GRAPHIE ET PRONONCIATION

Nous avons transcrit le texte de Villon en orthographe moderne, chaque fois que la prononciation de son temps se confondait avec la prononciation moderne. On n'a fait exception que pour les imparfaits en *oi* dont on a conservé l'ancienne graphie qui a duré jusqu'à la fin du XVIIIe siècle, bien que l'on prononçât *ai* au temps de Villon comme aujourd'hui. On a employé les signes orthographiques actuellement en usage : cédille, accent circonflexe, accent aigu : l'accent circonflexe indique une contraction ou remplace la consonne muette *s* placée devant une autre consonne, quand la syllabe est longue; lorsque la voyelle *e* est brève, nous mettons l'accent aigu; en dehors de ce cas, l'accent aigu est réservé à la terminaison des mots afin d'éviter une confusion possible avec l'*e* muet. Dans le corps des mots on n'est jamais sûr que l'*e* est fermé ou bien ouvert : autrefois on prononçait *pére, mére* : dans des cas semblables il est plus simple de s'abstenir de mettre un accent. Il est d'ailleurs impossible d'indiquer exactement la prononciation des divers *e* : dans bien des cas *œ* est devenu *é*. Villon écrit Serbonne, mais on ferait une grave erreur en prononçant ce mot avec un *e* ouvert : *e* indique ici l'adoucissement parisien du son *o*. Le son *œ* dans le corps des mots se notait généralement *ue;* nous avons naturellement adopté la graphie moderne *(eu)*.

Il y a intérêt pour les lecteurs non familiarisés avec l'ancienne langue à ne pas les embarrasser avec toutes ces lettres inutiles dont les copistes au XVe siècle et les imprimeurs qui ont suivi ont orné ou plutôt déparé les mots : cette habitude fâcheuse a fini par altérer la prononciation véritable. Citons un exemple typique : l'adverbe *mout* que nul n'a jamais prononcé *moult* sinon

les lecteurs des *Contes drolatiques* et les chansonniers de
Montmartre.

Qu'il s'agisse de consonnes ou de voyelles, nous avons
supprimé les lettres inutiles, et ainsi rendu les mots tels
qu'on doit les prononcer selon la graphie de nos jours :
au lieu de *creu, soubtil, tauxer, extrace, feusse, destre,
senestre,* nous avons écrit *crû, souti(l), tausser, étrace,
fusse, dêtre, senêtre.* Nous avons remplacé également par
*ss* l'*x* d'Alixandre.

Dans le *Lai,* le *Testament* ou les *Poésies diverses,* tels
qu'ils nous sont parvenus, on relève un certain nombre de
fautes de quantité dues très probablement à la négligence
ou à la fantaisie des copistes, mais il y en a beaucoup
moins qu'on ne pourrait le supposer tout d'abord. En
effet, la graphie ne correspond pas toujours à la mesure
exacte du vers. Il y a le cas où la graphie est en retard
sur la manière de prononcer : par exemple *aage* qui,
ayant eu trois syllabes, n'en a plus que deux à l'époque
qui nous occupe : l'*a* double, ici, remplace l'accent
circonflexe d'aujourd'hui et indique simplement l'allongement de la syllabe. Cette considération suffit à écarter
la leçon adoptée par quelques éditeurs pour le premier
vers du *Testament* :

> En l'an de mon trentieme âge.

qui est un vers boiteux, au lieu de :

> En l'an trentieme de mon âge.

Villon prononçait *âge,* comme on le voit au vers troi-
sième du huitain CXXVII du *Testament.*

Il y a un second cas, c'est quand un mot invariable,
adverbe ou préposition, a deux formes, dont l'une est
plus courte que l'autre, et qu'on emploie indistinctement
dans les vers, selon qu'on a besoin d'un pied de plus ou
de moins. Par exemple : *jusque, onc, avec, com :* le fait
que le copiste ait employé ces formes brèves au lieu des
formes allongées *jusques, oncque* ou *oncques, avecque,
comme,* ou réciproquement, ne permet pas de croire
que le poète se soit trompé dans le compte de ses syllabes.

Le poète peut aussi employer une forme archaïque :

> Puis sue Dieu sait quel *sueur,*

et le copiste adopter la graphie nouvelle et faire un vers
faux.

Il faut noter aussi que certains mots avaient dans la prononciation une syllabe de plus ou de moins qu'aujourd'hui. Si *hëaume* avait trois syllabes au xve siècle, *théologie* se prononçait *thologie*.

Enfin certains substantifs avaient deux formes, une féminine et une masculine; exemple : *braies* et *brais*, d'où deux quantités.

Certains *e* muets non élidés sont de pures graphies qui n'affectent l'ouïe que par un allongement de la voyelle qui précède : exemple : *eaue, mienuit, muerai, prierai*, et ne comptent pas par conséquent dans la mesure du vers. Pures graphies également : *Manjue, velimeux, souverain, verité* que Villon prononçait *mange, vlimeux, souvrain, verté*.

Enfin il est des expressions toutes faites comme *rue Saint Antoine* ou des proverbes comme : *A menue gen, menue monnaie* qu'il est peut-être permis de transcrire sans modification dans le corps d'une strophe. Nous en dirons autant de *nu(e) jambe* qu'on peut considérer, dès cette époque, comme une locution invariable.

L'examen des rimes de Villon nous renseigne sur la prononciation de Paris à cette époque. Nous avons vu plus haut *Serbonne* prononcé *Sœrbonne*. L'*e* ouvert se rapproche de *a* et réciproquement : *barre* rime avec *terre*. Pour les consonnes, deux particularités à cette époque méritent d'être signalées : *r* suivi d'une autre consonne disparaît purement et simplement. C'est ainsi que *Bourges* et *courges* riment avec *bouges* et *rouges*, *Charles* avec *masles*, *merle* avec *mesle*, *Auvergne* avec *Espagne*. Dans les combinaisons *fl, bl, pl*, la première consonne s'amuït, également : *bible* rime avec *évangile*, *tremble* avec *branle*, *peuple* avec *seule*. (Remarquons en passant que c'est le contraire de la prononciation actuelle du peuple de Paris qui dirait plutôt *bibe, trembe*.)

La question des verbes en *ier* monosyllabe est un peu plus délicate; il semble toutefois certain qu'à Paris *adrecier, aisier, baisier, attachier, chacier, changier* se prononçaient *adresser, aiser, baiser, attacher, chasser, changer*. La rime *aisier-rosier* dans les *Contredits de Franc Gontier* est une rime pour l'œil.

Il ne manque pas de rimes pour l'œil dans Villon, notamment l'*s* du nominatif singulier maintenu par tradition, *Dieux, éhontés, lettrés*, etc. ou par recherche plaisante d'archaïsme : voir notamment dans la double ballade *Bien heureux est qui rien n'y a*, le vers :

*Et Narcissus, le bel honnêtes.*

Villon avait même peut-être écrit, par allusion à un ancien poème, *Narcissus li biaus honnestes.*

Ce fut plusieurs fois un jeu pour Villon que cette affectation plaisante d'archaïsme; l'exemple le plus typique est la *Ballade en vieil langage françois* qui suit dans le *Testament* celles des Dames et des Seigneurs du temps jadis. Mais Villon ignorait que la vieille langue avait une déclinaison à deux cas, l'un sujet, l'autre régime : d'où de nombreuses fautes dans ce pastiche d'ailleurs très agréable; nous en avons compté vingt-six. Voici la pièce en question, corrigée :

> Car ou soit li sainz apostoles
> D'aube vestus, d'amit coefez,
> Qui ne ceint fors saintes estoles,
> Dont par le col prent le maufé
> De maltalent tot eschaufé,
> Aussi bien muert que cil servans,
> De ceste vie ci boufés,
> Autant en emporte li venz.
>
> Voire, ou soit de Constantinoble
> L'empereres au poing doré
> Ou de Fance li rois tres nobles,
> Sur toz autres rois decorez,
> Qui pour le grant Dieu aoré
> Bastit yglises et couvenz,
> S'en son tens il fut honorez,
> Autant en emporte li venz.
>
> Ou soit de Vienne et de Grenoble
> Li dauphins, li preux, li senez,
> Ou de Dijon, Salins et Dole
> Li sires et li fils ainsnez,
> Ou cil qui furent d'eus privé,
> Heraut, trompeor, porsievant,
> Ont il bien bouté souz le nez ?
> Autant en emporte li venz.
>
> Prince a mort sont tuit destiné
> Et tuit autre qui sont vivant :
> S'il en sont courcié n'ataïné,
> Autant en emporte li venz.

ANDRÉ MARY

# LE LAIS
## DE FRANÇOIS VILLON

# LE LAIS
## DE FRANÇOIS VILLON

### I

L'an quatre cent cinquante six,
Je, François Villon, écolier,
Considerant, de sens rassis,
Le frein aux dents, franc au collier [1],
Qu'on doit ses œuvres conseillier [2]
Comme Vegece le raconte,
Sage romain, grand conseillier,
Ou autrement on se mécompte...

### II

En ce temps que j'ai dit devant,
Sur le Noel, morte saison,
Que les loups se vivent de vent
Et qu'on se tient en sa maison,
Pour le frimas, près du tison,
Me vint un vouloir de briser
La tres amoureuse prison [3]
Qui souloit mon cœur debriser.

1. Plein d'ardeur et de bonne volonté.    2. Soumettre à la
réflexion *(D. P.)*.    3. Rompre la captivité.

### III

Je le fis en telle façon,
Voyant celle devant mes yeux
Consentant a ma défaçon [1],
Sans ce que ja lui en fût mieux;
Dont je me deuil et plains aux cieux,
En requerant d'elle vengeance
A tous les dieux venerieux [2],
Et du grief d'amour allegeance.

### IV

Et se j'ai prins en ma faveur
Ces doux regards et beaux semblants
De tres decevante saveur,
Me tréperçants jusques aux flancs,
Bien ils ont vers moi les pieds blancs [3]
Et me faillent au grand besoin.
Planter me faut autres complants
Et frapper en un autre coin.

### V

Le regard de celle m'a prins
Qui m'a eté felonne et dure :
Sans ce qu'en rien aie méprins,
Veut et ordonne que j'endure
La mort, et que plus je ne dure;
Si n'y voi secours que fouïr.
Rompre veut la vive soudure,
Sans mes piteux regrets ouïr !

---

1. Destruction.     2. Dieux protecteurs des amants.     3. Je
ne puis pas compter sur eux.

## VI

Pour obvier a ces dangers,
Mon mieux est, ce croi, de partir.
Adieu! Je m'en vais a Angers :
Puis qu'el ne me veut impartir [1]
Sa grace, ne me departir [2],
Par elle meurs, les membres sains;
Au fort, je suis amant martyr
Du nombre des amoureux saints.

## VII

Combien que le depart me soit
Dur, si faut il que je l'élogne :
Comme mon pauvre sens conçoit,
Autre que moi est en quelogne [3],
Dont oncque soret [4] de Boulogne
Ne fut plus alteré d'humeur [5].
C'est pour moi piteuse besogne :
Dieu en veuille ouïr ma clameur!

## VIII

Et puis que departir me faut,
Et du retour ne suis certain,
(Je ne suis homme sans défaut
Ne qu'autre d'acier ne d'étain;
Vivre aux humains est incertain,
Et après mort n'y a relais;
Je m'en vais en pays lointain),
Si établis ce present lais.

1. Accorder sa grâce.   2. Ni m'en donner une part.   3. En
faveur.   4. Hareng saur.   5. N'eut plus grande soif.

## IX

Premierement, ou nom du Pere,
Du Fils et du Saint Esprit,
Et de sa glorieuse Mere
Par qui grace [1] rien ne perit,
Je laisse, de par Dieu, mon bruit
A maître Guillaume Villon
Qui en l'honneur de son nom bruit,
Mes tentes et mon pavillon.

## X

Item, a celle que j'ai dit,
Qui m'a si durement chassé
Que je suis de joie interdit
Et de tout plaisir dechassé,
Je laisse mon cœur enchassé,
Pale, piteux, mort et transi :
Elle m'a ce mal pourchassé [2],
Mais Dieu lui en fasse merci !

## XI

Item, a maître Ythier Marchant,
Auquel je me sens tres tenu,
Laisse mon brant [3] d'acier tranchant
Ou a maître Jean le Cornu,
Qui est en gage detenu
Pour un écot [4] huit sous montant;
Si veuil, selon le contenu [5],
Qu'on leur livre, en le rachetant.

---

1. Par la grâce de qui.     2. Procuré.     3. Epée à deux mains.
4. Une part de dépense.     5. Selon la présente clause.

## XII

Item, je laisse a Saint Amant
*Le Cheval Blanc* avec *la Mule*
Et à Blaru mon diamant
Et l'*Ane rayé* qui recule.
Et le decret qui articule
*Omnis utriusque sexus* [1],
Contre la Carmeliste bulle
Laisse aux curés, pour mettre sus [2].

## XIII

Et a maître Robert Vallee
Pauvre clergeot en Parlement,
Qui n'entend ne mont ne vallee,
J'ordonne principalement
Qu'on lui baille legerement [3]
Mes brais, étants aux *Trumillieres*,
Pour coeffer plus honnêtement
S'amie Jeanne de Millieres.

## XIV

Pour ce qu'il est de lieu honnête,
Faut qu'il soit mieux recompensé,
Car Saint Esprit l'amonête,
Obstant ce qu'il est [4] insensé;
Pour ce, je me suis pourpensé
Qu'on lui baille *l'Art de Memoire*
A recouvrer sur Maupensé,
Puis qu'il n'a sens ne qu'une aumoire [5].

1. Toute personne de l'un ou l'autre sexe.    2. Pour qu'ils le
mettent en vigueur.    3. Sans difficulté.    4. Quoiqu'il soit.
5. Armoire.

## XV

Item, pour assigner la vie
Du dessusdit maître Robert,
(Pour Dieu! n'y ayez point d'envie!)
Mes parents, vendez mon haubert,
Et que l'argent, ou la plus part,
Soit employé, dedans ces Pâques [1],
A acheter à ce poupart
Une fenêtre [2] emprès Saint Jacques.

## XVI

Item, laisse et donne en pur don
Mes gants et ma huque de soie
A mon ami Jacques Cardon,
Le gland aussi d'une saussoie,
Et tous les jours une grasse oie
Et un chapon de haute graisse,
Dix muids de vin blanc comme croie [3],
Et deux procès, que trop n'engraisse.

## XVII

Item, je laisse a ce noble homme,
Regnier de Montigny, trois chiens;
Aussi a Jean Raguier la somme
De cent francs, prins sur tous mes biens.
Mais quoi! Je n'y comprends en riens
Ce que je pourray acquerir :
On ne doit trop prendre des siens,
Ne son ami trop surquerir [4].

---

1. Pendant la semaine de Pâques.     2. Une boutique d'écrivain.
3. Craie.     4. Solliciter avec insistance.

## XVIII

Item, au Seigneur de Grigny
Laisse la garde de Nijon,
Et six chiens plus qu'à Montigny,
Vicêtre, châtel et donjon;
Et a ce malotru changeon,
Mouton, qui le tient en procès,
Laisse trois coups d'un escourgeon,
Et coucher, paix et aise, es ceps [1].

## XIX

Et a maître Jacques Raguier
Laisse o l'*Abreuvoir Popin*,
Pêches, poires; au *Gros Figuier*
Toujours le choix d'un bon lopin,
Le trou de *la Pomme de Pin*,
Clos et couvert, au feu la plante [2],
Emmailloté en jacopin [3];
Et qui voudra planter, si plante.

## XX

Item, a maître Jean Mautaint
Et maître Pierre Basanier
Le gré du seigneur qui atteint
Troubles, forfaits sans épargnier;
Et a mon procureur Fournier
Bonnets courts, chausses semelees
Taillees sur mon cordouanier
Pour porter durant ces gelees.

1. Dans les fers.     2. Les pieds.     3. Frère prêcheur.

### XXI

Item a Jean Trouvé, boucher,
Laisse *le Mouton* franc et tendre
Et un tacon [1] pour émoucher
*Le Boeuf Couronné* qu'on veut vendre,
Ou *la Vache :* qui pourra prendre
Le vilain qui la trousse au col,
S'il ne la rend, qu'on le puît pendre
Et étrangler d'un bon licol !

### XXII

Item, au Chevalier du Guet
*Le Hëaume* lui établis ;
Et aux pietons qui vont d'aguet
Tâtonnant par ces établis [2],
Je leur laisse leur beau riblis [3] :
*La Lanterne* a la Pierre au lait.
Voire, mais j'aurai les *Trois Lis,*
S'ils me menent en Châtelet.

### XXIII

Item, a Perrenet Marchant,
Qu'on dit le Bâtard de la Barre,
Pour ce qu'il est tres bon marchand
Lui laisse trois gluyons de foerre [4]
Pour étendre dessus la terre
A faire l'amoureux métier,
Ou lui faudra sa vie querre,
Car il ne sait autre métier.

---

1. Martinet à lanière de cuir.     2. Étalages.     3. Objet volé
*(D. P.).*     4. Bottes de paille.

## XXIV

Item, au Loup et a Cholet
Je laisse a la fois un canard
Prins sur les murs, comme on souloit [1],
Envers les fossés, sur le tard;
Et a chacun un grand tabart [2]
De cordelier jusques aux pieds,
Bûche, charbon et pois au lard,
Et mes houseaux [3] sans avant-pieds.

## XXV

De rechef, je laisse, en pitié,
A trois petits enfants tous nus
Nommés en ce présent traitié,
Pauvres orphelins impourvus,
Tous déchaussés, tous dépourvus,
Et dénués comme le ver;
J'ordonne qu'ils soient pourvus
Au moins pour passer cet hiver.

## XXVI

Premierement Colin Laurens,
Girard Gossouin et Jean Marceau,
Dépourvus de biens, de parents,
Qui n'ont vaillant l'anse d'un seau,
Chacun de mes biens un faisceau,
Ou quatre blancs, s'ils l'aiment mieux.
Ils mengeront maint bon morceau,
Les enfants, quand je serai vieux!

1. Comme on en avait l'habitude.     2. Manteau.     3. Guêtres.

## XXVII

Item, ma nomination
Que j'ai de l'Université
Laisse par resignation
Pour seclure [1] d'aversité
Pauvres clercs de cette cité
Sous cet *intendit* contenus [2] :
Charité m'y a incité,
Et Nature, les voyant nus.

## XXVIII

C'est maître Guillaume Cotin
Et maître Thibaut de Vitry
Deux pauvres clercs, parlants latin,
Paisibles enfants, sans étry [3],
Humbles, bien chantants au letry [4];
Je leur laisse cens recevoir
Sur la maison Guillot Gueuldry
En attendant de mieux avoir.

## XXIX

Item, et j'adjoins à la crosse [5]
Celle [6] de la rue Saint Antoine
Ou un billard de quoi on crosse,
Et tous les jours plein pot de Seine;
Aux pigeons qui sont en l'essoine [7]
Enserrés sous trappe voliere [8],
Mon mirouër bel et idoine
Et la grace de la geoliere.

---

1. Garantir.     2. Figurant dans cet acte.     3. Sans humeur
querelleuse.   4. Lutrin.     5. Par-dessus le marché.     6. La
Crosse, enseigne.     7. Dans la peine.     8. Dans la cage à oiseaux,
en prison *(D. P.)*.

## XXX

Item, je laisse aux hôpitaux
Mes chassis tissus d'arignee;
Et aux gisants sous les étaux
Chacun sur l'œil une grongnee [1],
Trembler a chere renfrognee,
Maigres, velus et morfondus [2],
Chausses courtes, robe rognee,
Gelés, murdris et enfondus [3].

## XXXI

Item, je laisse a mon barbier
Les rognures de mes cheveux,
Pleinement et sans détourbier [4];
Au savetier mes souliers vieux,
Et au frepier mes habits tieux [5]
Que, quand du tout je les delaisse,
Pour moins qu'ils ne coûterent neufs,
Charitablement je leur laisse.

## XXXII

Item, je laisse aux Mendiants,
Aux Filles Dieu et aux Beguines,
Savoureux morceaux et friands,
Flans, chapons et grasses gelines,
Et puis prêcher les Quinzes Signes,
Et abattre pain a deux mains.
Carmes chevauchent nos voisines,
Mais cela, ce n'est que du mains [6].

1. Un coup de poing.    2. Morveux.    3. Trempés.
4. Empêchement.    5. Tels.    6. Ce qui importe le moins.

### XXXIII

Item, laisse *le Mortier d'or*
A Jean, l'épicier, de la Garde;
Une potence [1] de Saint Mor
Pour faire un broyer a moutarde.
A celui qui fit l'avant garde
Pour faire sur moi griefs exploits :
De par moi saint Antoine l'arde !
Je ne lui ferai autre lais.

### XXXIV

Item, je laisse a Merebeuf
Et a Nicolas de Louvieux
A chacun l'écaille d'un œuf
Pleine de francs et d'écus vieux.
Quant au concierge de Gouvieux,
Pierre de Rousseville, ordonne,
Pour le donner entendre mieux,
Ecus tels que le Prince [2] donne.

### XXXV

Finablement, en écrivant,
Ce soir, seulet, étant en bonne,
Dictant ce lais et décrivant,
J'ouïs la cloche de Serbonne,
Qui toujours a neuf heures sonne
Le Salut que l'ange predit;
Si suspendis et y mis bonne [3]
Pour prier comme le cœur dit.

---

1. Béquille.    2. *Sous-entendu* : des Sots.    3. Borne.

## XXXVI

Ce faisant, je m'entroubliai,
Non pas par force de vin boire,
Mon esperit comme lié;
Lors je sentis dame Memoire
Reprendre et mettre en son aumoire
Ses especes collaterales [1],
Opinative [2] fausse et voire,
Et autres intellectuales [3],

## XXXVII

Et mêmement l'estimative
Par quoi prospective nous vient :
Similative, formative,
Desquels bien souvent il avient
Que, par leur trouble, homme devient
Fol et lunatique par mois :
Je l'ai lu, se bien m'en souvient,
En Aristote aucunes fois.

## XXXVIII

Dont le sensitif [4] s'eveilla
Et évertua Fantasie [5]
Qui tous organes réveilla,
Et tint la souvraine partie [6]
En suspens et comme amortie
Par oppression d'oubliance
Qui en moi s'étoit épartie [7]
Pour montrer des sens l'alliance.

---

1. Les facultés dépendant d'elle.    2. Le jugement.    3. Fonctions de l'intelligence.    4. La sensibilité.    5. Excita l'imagination.    6. La volonté.    7. Répandue *(D. P.)*.

## XXXIX

Puis que mon sens fut a repos
Et l'entendement demêlé,
Je cuidai finer mon propos;
Mais mon encre trouvai gelé
Et mon cierge trouvai soufflé;
De feu je n'eusse pu finer [1].
Si m'endormis, tout emmouflé,
Et ne pus autrement finer [2].

## XL

Fait ou temps de ladite date
Par le bien renommé Villon,
Qui ne menge figue ni date.
Sec et noir comme écouvillon,
Il n'a tente ne pavillon
Qu'il n'ait laissé a ses amis,
Et n'a mais qu'un peu de billon
Qui sera tantôt a fin mis.

---

1. Me procurer.    2. Terminer.

# LE TESTAMENT

# LE TESTAMENT

## I

En l'an trentieme de mon âge
Que toutes mes hontes j'eus bues,
Ne du tout fol, ne du tout sage,
Non obstant maintes peines eues,
Lesquelles j'ai toutes reçues
Sous la main Thibaut d'Aussigny...
S'evêque il est, seignant[1] les rues,
Qu'il soit le mien je le regny !

## II

Mon seigneur n'est ne mon evêque;
Sous lui ne tiens, s'il n'est en friche;
Foi ne lui dois n'hommage avecque;
Je ne suis son serf ne sa biche.
Pû m'a d'une petite miche
Et de froide eau tout un été.
Large ou étroit, mout me fut chiche :
Tel lui soit Dieu qu'il m'a été.

---

1. Bénissant.

### III

Et s'aucun me vouloit reprendre
Et dire que je le maudis,
Non fais, se bien le sait comprendre,
En rien de lui je ne médis.
Veci tout le mal que j'en dis :
S'il m'a été misericors,
Jesus, le roi de paradis,
Tel lui soit a l'ame et au corps !

### IV

Et s'été m'a dur et cruel
Trop plus que ci ne le raconte,
Je veuil que le Dieu eternel
Lui soit donc semblable a ce compte.
Et l'Eglise nous dit et conte
Que prions pour nos ennemis.
Je vous dirai : « J'ai tort et honte,
Quoi qu'il m'ait fait, a Dieu remis ! [1] »

### V

Si prierai pour lui de bon cœur,
Par l'ame du bon feu Cotart !
Mais quoi ! ce sera donc par cœur,
Car de lire je suis faitard [2] :
Priere en ferai de Picard ;
S'il ne le sait, voise l'apprendre,
S'il m'en croit, ains qu'il soit plus tard,
A Douai ou a Lille en Flandre.

_____

1. Que ce soit remis au jugement de Dieu.    2. Paresseux.

# VI

Combien se ouïr veut qu'on prie
Pour lui, foi que dois mon baptême,
Obstant [1] qu'a chacun ne le crie,
Il ne faudra pas a son ême [2].
Ou Psautier prends, quand suis a même,
Qui n'est de bœuf ne cordouan,
Le verselet écrit septieme
Du psaume de *Deus laudem.*

# VII

Si prie au benoit fils de Dieu,
Qu'a tous mes besoins je reclame,
Que ma pauvre priere ait lieu
Vers lui, de qui tiens corps et ame,
Qui m'a preservé de maint blâme
Et franchi de vile puissance,
Loué soit il, et Notre Dame,
Et Loïs, le bon roi de France,

# VIII

Auquel doint Dieu l'heur de Jacob.
Et de Salmon l'honneur et gloire,
(Quant de proesse, il en a trop,
De force aussi, par m'ame, voire!)
En ce monde ci transitoire,
Tant qu'il a de long et de lé,
Afin que de lui soit memoire,
Vive autant que Mathusalé!

1. Quoique.     2. Il ne sera pas déçu dans son attente *(D. P.)*.

## IX

Et douze beaux enfants, tous mâles,
Voire de son cher sang royal,
Aussi preux que fut le grand Charles
Conçus en ventre nuptial,
Bons comme fut saint Martial.
Ainsi en preigne au feu Dauphin !
Je ne lui souhaite autre mal,
Et puis paradis à la fin.

## X

Pour ce que foible je me sens
Trop plus de biens que de santé,
Tant que je suis en mon plein sens,
Si peu que Dieu m'en a prêté,
Car d'autre ne l'ai emprunté,
J'ai ce Testament tres estable
Fait, de derniere voulenté,
Seul pour tout et irrevocable.

## XI

Ecrit l'ai l'an soixante et un
Que le bon roi me delivra
De la dure prison de Meun,
Et que vie me recouvra,
Dont suis, tant que mon cueur vivra,
Tenu vers lui m'humilier,
Ce que ferai tant qu'il mourra [1] :
Bienfait ne se doit oublier.

1. Jusqu'à sa mort.

## XII

Or est vrai qu'après plaints et pleurs
Et angoisseux gemissements,
Après tristesses et douleurs,
Labeurs et griefs cheminements,
Travail [1] mes lubres sentements [2],
Aiguisés comme une pelote,
M'ouvrit plus que tous les comments [3]
D'Averroÿs sur Aristote.

## XIII

Combien qu'au plus fort de mes maux,
En cheminant sans croix ne pile,
Dieu, qui les pelerins d'Emmaus
Conforta, ce dit l'Evangile,
Me montra une bonne ville
Et pourvut du don d'esperance;
Combien que le pecheur soit vile,
Rien ne hait que perseverance.

## XIV

Je suis pecheur, je le sai bien;
Pourtant ne veut pas Dieu ma mort,
Mais convertisse et vive en bien,
Et tout autre que peché mord.
Combien qu'en peché soie mort,
Dieu vit, et sa misericorde,
Se conscience me remord,
Par sa grace pardon m'accorde.

1. Souffrance.        2. Mon esprit incertain.        3. Commentaires.

## XV

Et, comme le noble *Romant*
*De la Rose* dit et confesse
En son premier commencement
Qu'on doit jeune cœur en jeunesse,
Quand on le voit vieil en vieillesse,
Excuser, helas ! il dit voir.
Ceux donc qui me font telle presse
En murté [1] ne me voudroient voir.

## XVI

Se, pour ma mort, le bien publique
D'aucune chose vausît [2] mieux,
A mourir comme un homme inique
Je me jugeasse, ainsi m'aît Dieus !
Griefs ne fais a jeunes ne vieux,
Soie [3] sur pieds ou soie en biere :
Les monts ne bougent de leurs lieux
Pour un pauvre, n'avant n'arriere.

## XVII

Ou temps qu'Alissandre regna,
Un hom nommé Diomedès
Devant lui on lui amena,
Engrillonné pouces et dès [4]
Comme un larron, car il fut des
Ecumeurs que voyons courir;
Se fut mis devant ce cadès [5]
Pour être jugé a mourir.

---

1. Maturité.    2. Valût.    3. Que je sois.    4. Les doigts
pris dans les poucettes.    5. Capitaine *(D. P.)*.

## XVIII

L'empereur si l'araisonna :
« Pour quoi es tu larron de mer ? »
L'autre réponse lui donna :
« Pour quoi larron me fais nommer ?
Pour ce qu'on me voit écumer
En une petiote fuste [1] ?
Se comme toi me pusse armer,
Comme toi empereur je fusse.

## XIX

« Mais que veux-tu ? De ma fortune
Contre qui ne puis bonnement,
Qui si faussement me fortune
Me vient tout ce gouvernement.
Excuse moi aucunement,
Et sache qu'en grand pauvreté,
Ce mot se dit communement,
Ne gît pas grande loyauté. »

## XX

Quand l'empereur ot remiré [2]
De Diomedès tout le dit :
« Ta fortune je te muerai
Mauvaise en bonne », si lui dit.
Si fit il. Onc puis ne médit [3]
A personne, mais fut vrai homme,
Valere pour vrai le baudit [4],
Qui fut nommé le grand a Rome.

1. En un petit vaisseau.       2. Examiné.       3. Ne dit plus de mal.       4. Donne.

## XXI

Se Dieu m'eût donné rencontrer
Un autre piteux Alissandre
Qui m'eût fait en bon heur entrer,
Et lors qui m'eût vu condescendre
A mal, être ars et mis en cendre
Jugé me fusse de ma voix.
Necessité fait gens méprendre
Et faim saillir le loup du bois.

## XXII

Je plains le temps de ma jeunesse
(Ouquel j'ai plus qu'autre galé [1]
Jusqu'a l'entree de vieillesse)
Qui son partement [2] m'a celé.
Il ne s'en est a pied allé
N'a cheval : helas ! comment don ?
Soudainement s'en est volé
Et ne m'a laissé quelque don.

## XXIII

Allé s'en est, et je demeure,
Pauvre de sens et de savoir,
Triste, failli [3], plus noir que meure,
Qui n'ai cens ne rente n'avoir ;
Des miens le mendre [4], je dis voir,
De me désavouer s'avance,
Oubliant naturel devoir
Par faute d'un peu de chevance.

---

1. Je me suis amusé.    2. Départ.    3. Découragé.    4. Le
moindre.

## XXIV

Si ne crains avoir dépendu [1]
Par friander ne par lécher;
Par trop amer n'ai rien vendu
Qu'amis me puissent reprocher,
Au moins qui leur coûte mout cher.
Je le dis et ne crois médire [2];
De ce je me puis revencher [3] :
Qui n'a méfait ne le doit dire [4].

## XXV

Bien est verté que j'ai amé
Et ameroie voulentiers;
Mais triste cœur, ventre affamé
Qui n'est rassasié au tiers
M'ôte des amoureux sentiers.
Au fort, quelqu'un s'en recompense [5],
Qui est rempli sur les chantiers [6]!
Car la danse vient de la panse.

## XXVI

Bien sais, se j'eusse étudié
Ou temps de ma jeunesse folle,
Et a bonnes mœurs dedié [7],
J'eusse maison et couche molle.
Mais quoi? je fuyoie l'école,
Comme fait le mauvais enfant.
En écrivant cette parole
A peu [8] que le cœur ne me fend.

---

1. Dépensé.   2. Mentir.   3. Défendre.   4. Ne doit
s'accuser.   5. Après tout qu'il s'en paie, celui-là.   6. A le ventre
plein.   7. Voué (D. P.).   8. Il s'en faut de peu.

### XXVII

Le dit du Sage trop le fis
Favorable, (bien en puis mais !)
Qui dit : « Éjouis toi, mon fils,
En ton adolescence. » Mais
Ailleurs sert bien d'un autre mets,
Car « jeunesse et adolescence »,
C'est son parler, ne moins ne mais [1],
« Ne sont qu'abus et ignorance. »

### XXVIII

« Mes jours s'en sont allés errant [2]
Comme, dit Job, d'une touaille
Font les filets, quand tisserand
En son poing tient ardente paille. »
Lors, s'il y a nul bout qui saille,
Soudainement il le ravit.
Si ne crains plus que rien m'assaille
Car a la mort tout s'assouvit [3].

### XXIX

Ou sont les gracieux galants
Que je suivoie ou temps jadis,
Si bien chantants, si bien parlants,
Si plaisants en faits et en dits ?
Les aucuns sont morts et roidis,
D'eux n'est il plus rien maintenant :
Repos aient en paradis,
Et Dieu sauve le remenant [4] !

---

1. Ni moins ni plus.     2. Rapidement.     3. S'achève.     4. Le
reste.

## XXX

Et les autres sont devenus,
Dieu merci! grands seigneurs et maîtres;
Les autres mendient tous nus
Et pain ne voient qu'aux fenêtres;
Les autres sont entrés en cloîtres
De Celestins ou de Chartreux,
Bottés, housés [1] com pêcheurs d'oîtres :
Voyez l'état divers d'entre eux.

## XXXI

Aux grands maîtres doint Dieu bien faire,
Vivants en paix et en requoi [2];
En eux il n'y a que refaire,
Si s'en fait bon taire tout coi.
Mais aux pauvres qui n'ont de quoi,
Comme moi, doint Dieu patience !
Aux autres ne faut [3] qui ne quoi,
Car assez ont vin et pitance.

## XXXII

Bons vins ont, souvent embrochés [4],
Sauces, brouets et gros poissons;
Tartes, flans, œufs frits et pochés,
Perdus et en toutes façons.
Pas ne ressemblent les maçons
Que servir faut a si grand peine :
Ils ne veulent nuls échansons,
De soi verser chacun se peine.

1. Guêtrés.   2. Repos.   3. Manque.   4. Mis en perce.

### XXXIII

En cet incident [1] me suis mis
Qui de rien ne sert a mon fait;
Je ne suis juge, ne commis
Pour punir n'absoudre méfait :
De tous suis le plus imparfait,
Loué soit le doux Jesus Christ !
Que par moi leur soit satisfait [2];
Ce que j'ai écrit est écrit.

### XXXIV

Laissons le moutier [3] ou il est;
Parlons de chose plus plaisante :
Cette matiere a tous ne plaît,
Ennuyeuse est et déplaisante.
Pauvreté, chagrine et dolente,
Toujours dépiteuse [4] et rebelle,
Dit quelque parole cuisante;
S'elle n'ose, si le pense elle.

### XXXV

Pauvre je suis de ma jeunesse,
De pauvre et de petite extrace [5].
Mon pere n'ot onc grand richesse,
Ne son aïeul nommé Orace.
Pauvreté tous nous suit et trace [6];
Sur les tombeaux de mes ancêtres,
Les ames desquels Dieu embrasse !
On n'y voit couronnes ne sceptres.

---

1. En cette digression.     2. Qu'ils reçoivent mes excuses.
3. L'église.     4. Méprisante.     5. Extraction.     6. Nous suit à
la trace.

## XXXVI

De pauvreté me guermentant [1],
Souventes fois me dit le cœur :
« Homme, ne te doulouse [2] tant
Et ne demene tel douleur,
Se tu n'as tant qu'eut Jacques Cœur :
Mieux vaut vivre sous gros bureau [3]
Pauvre, qu'avoir été seigneur
Et pourrir sous riche tombeau ! »

## XXXVII

Qu'avoir été seigneur !... Que dis ?
Seigneur, las ! et ne l'est il mais ?
Selon les davitiques dits,
Son lieu ne connaîtras jamais.
Quant du surplus, je m'en démets :
Il n'appartient a moi, pecheur ;
Aux theologiens le remets,
Car c'est office de prêcheur.

## XXXVIII

Si ne suis, bien le considere,
Fils d'ange portant diademe
D'étoile ne d'autre sidere [4].
Mon pere est mort, Dieu en ait l'ame !
Quant est du corps, il gît sous lame...
J'entends que ma mere mourra,
Et le sait bien la pauvre femme,
Et le fils pas ne demourra.

1. Lamentant.        2. Chagrine.        3. Gros drap.        4. Constellation.

## XXXIX

Je congnois que pauvres et riches,
Sages et fous, prêtres et lais,
Nobles, vilains, larges et chiches,
Petits et grands, et beaux et laids,
Dames a rebrassés collets [1],
De quelconque condition,
Portant atours et bourrelets [2],
Mort saisit sans exception.

## XL

Et meure Paris ou Helene,
Quiconque meurt, meurt a douleur
Telle qu'il perd vent et haleine;
Son fiel se creve sur son cœur,
Puis sue, Dieu sait quel sueur!
Et n'est qui de ses maux l'allege :
Car enfant n'a, frere ne sœur
Qui lors vousît être son pleige [3].

## XLI

La mort le fait fremir, palir,
Le nez courber, les veines tendre,
Le col enfler, la chair mollir,
Jointes [4] et nerfs croitre et étendre.
Corps femenin, qui tant es tendre,
Poly, souef, si précieux,
Te faudra il ces maux attendre?
Oui, ou tout vif aller es cieux.

1. Collets relevés.    2. Sortes de coiffures.    3. Sa caution.
4. Articulations.

# BALLADE
## DES DAMES DU TEMPS JADIS

Dites moi ou, n'en quel pays
Est Flora la belle Romaine;
Archipiade ne Thaïs
Qui fut sa cousine germaine;
Echo, parlant quand bruit on mene
Dessus riviere ou sus étang,
Qui beauté ot trop plus qu'humaine?
Mais ou sont les neiges d'antan?

Ou est la tres sage Heloïs,
Pour qui fut châtré et puis moine
Pierre Esbaillart a Saint Denis?
Pour son amour ot cette essoine [1].
Semblablement ou est la roine
Qui commanda que Buridan
Fût jeté en un sac en Seine?
Mais ou sont les neiges d'antan?

La roine Blanche comme un lis
Qui chantoit a voix de seraine [2]
Berthe au grand pied, Bietris, Alis,
Aremburgis qui tint le Maine,
Et Jeanne, la bonne Lorraine
Qu'Anglois brulerent a Rouen;
Ou sont ils, ou, Vierge souvraine?
Mais ou sont les neiges d'antan?

Prince, n'enquerez de semaine [3]
Ou elles sont, ne de cet an,
Qu'a ce refrain ne vous remaine [4] :
Mais ou sont les neiges d'antan?

_Marginal handwritten glosses:_ courtisane romaine · Alcibiade · nymphe amoureuse de Narcisse · ce était plus belle qu'une mortelle · Héloïse · ve Abélard · courtisane d'Alexandrie · qui avait une beauté surhumaine · épreuve douloureuse · philosophe · Hambourg · 1431 · envoi · ne demandez ni pendant toute une semaine · ni pendant toute une année · de peur que je ne vous ramène à ce refrain · de l'année passée

1. Épreuve.   2. Sirène.   3. De cette semaine.   4. Que je
ne vous ramène à ce refrain.

# BALLADE
## DES SEIGNEURS DU TEMPS JADIS

Qui plus, ou est le tiers Calixte,
Dernier decede de ce nom,
Qui quatre ans tint le papaliste [1] ?
Alphonse le roi d'Aragon,
Le gracieux duc de Bourbon,
Et Artus le duc de Bretagne,
Et Charles septieme le bon ?
Mais ou est le preux Charlemagne ?

Semblablement, le roi Scotiste
Qui demi face ot, ce dit on,
Vermeille comme une amathiste
Depuis le front jusqu'au menton ?
Le roi de Chypre de renom,
Helas ! et le bon roi d'Espagne
Duquel je ne sais pas le nom ?
Mais ou est le preux Charlemagne ?

D'en plus parler je me desiste ;
Le monde n'est qu'abusion.
Il n'est qui contre mort resiste
Ne qui treuve provision [2].
Encor fais une question :
Lancelot le roi de Behagne,
Ou est il, ou est son tayon [3] ?
Mais ou est le preux Charlemagne ?

Ou est Claquin, le bon Breton ?
Ou le comte Dauphin d'Auvergne,
Et le bon feu duc d'Alençon ?
Mais ou est le preux Charlemagne ?

---

1. La papauté.        2. Trouve à se prémunir.        3. Aïeul.

# BALLADE
## EN VIEIL LANGAGE FRANÇOIS

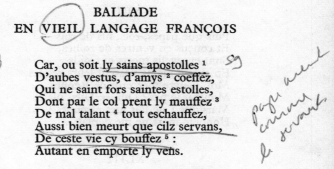

Car, ou soit ly sains apostolles [1]
D'aubes vestus, d'amys [2] coeffez,
Qui ne saint fors saintes estolles,
Dont par le col prent ly mauffez [3]
De mal talant [4] tout eschauffez,
Aussi bien meurt que cilz servans,
De ceste vie cy bouffez [5] :
Autant en emporte ly vens.

Voire, ou soit de Constantinobles
L'emperieres au poing dorez,
Ou de France ly roy tres nobles
Sur tous autres roys decorez [6],
Qui pour ly grans Dieux aourez [7]
Bastit eglises et couvens,
S'en son temps il fut honnourez,
Autant en emporte ly vens.

Ou soit de Vienne et de Grenobles
Ly Dauphins, ly preux, ly senez [8],
Ou de Dijon, Salins et Doles
Ly sires et ly filz ainsnez,
Ou autant de leurs gens privez,
Heraulx, trompettes, poursuivans,
Ont ils bien bouté soubz le nez [9] ?
Autant en emporte ly vens.

Princes a mort sont destinez,
Et tous autres qui sont vivans :
S'ils en sont courciez n'atainez [10],
Autant en emporte ly vens.

---

1. Pape.    2. Amict.    3. Le diable.    4. Méchanceté.
5. Soufflé.    6. Glorieux.    7. Adoré.    8. Le sage.    9. Bu et
mangé.    10. Irrités ou chagrins.

## XLII

Puis que papes, rois, fils de rois
Et conçus en ventres de roines,
Sont ensevelis morts et froids,
En autrui mains passent leurs regnes,
Moi, pauvre mercerot de Rennes,
Mourrai je pas ? Oui, se Dieu plaît ;
Mais que j'aie fait mes étrennes [1],
Honnête mort ne me déplaît.

## XLIII

Ce monde n'est perpetuel,
Quoi que pense riche pillard :
Tous sommes sous mortel coutel.
Ce confort [2] prend pauvre vieillard,
Lequel d'être plaisant raillard
Ot le bruit [3], lorsque jeune étoit,
Qu'on tendroit a fol et paillard,
Se, vieil, a railler se mettoit.

## XLIV

Or lui convient il mendier,
Car a ce force le contraint.
Regrettant sa mort hui et hier,
Tristesse son cœur si étreint
Que souvent, n'étoit Dieu qu'il craint,
Il feroit un horrible fait ;
Et advient qu'en ce Dieu enfreint [4],
Et que lui memes se défait [5].

---

1. Pourvu que j'aie eu du bon temps.    2. Cette consolation.
3. Eut le renom.    4. En cela enfreint la loi de Dieu.    5. Se détruit.

## XLV

Car s'en jeunesse il fut plaisant,
Ores plus rien ne dit qui plaise.
Toujours vieil singe est déplaisant,
Moue ne fait qui ne déplaise;
S'il se tait, afin qu'il complaise,
Il est tenu pour fol recru [1];
S'il parle, on lui dit qu'il se taise,
Et qu'en son prunier n'a pas crû [2].

## XLVI

Aussi ces pauvres femmelettes
Qui vieilles sont et n'ont de quoi,
Quand ils voient ces pucelettes
Emprunter d'elles [3], a recoi
Ils demandent [4] a Dieu pour quoi
Si tôt naquirent, n'a quel droit.
Notre Seigneur se tait tout coi,
Car au tancer il le perdroit [5].

---

1. Un vieux fol épuisé *(D. P.)*.    2. Ce qu'il sert n'est pas
de son cru *(D. P.)*.    3. Prendre leur place.    4. Demandent
tout bas.    5. Il sera battu dans la dispute.

# LES REGRETS
## DE LA BELLE HEAUMIÈRE

### XLVII

Avis m'est que j'oi regretter
La Belle qui fut hëaumiere,
Soi jeune fille souhaiter
Et parler en telle maniere :
« Ha ! vieillesse felonne et fiere,
Pour quoi m'as si tôt abattue ?
Qui me tient que je ne me fiere [1],
Et qu'a ce coup je ne me tue ? »

### XLVIII

« Tolu [2] m'as la haute franchise
Que beauté m'avait ordonné
Sur clercs, marchands et gens d'Eglise :
Car lors il n'étoit homme né
Qui tout le sien ne m'eût donné
Quoi qu'il en fût des repentailles,
Mais que lui eusse abandonné
Ce que refusent truandailles.

1. Frappe.    2. Ravi.

## XLIX

« A maint homme l'ai refusé,
Qui n'étoit a moi grand sagesse,
Pour l'amour d'un garçon rusé,
Auquel j'en fis grande largesse.
A qui que je fisse finesse,
Par m'ame, je l'amoie bien !
Or ne me faisoit que rudesse,
Et ne m'amoit que pour le mien [1].

## L

« Si ne me sût tant detrainer [2],
Fouler aux pieds que ne l'aimasse;
Et m'eût il fait les reins trainer
S'il m'eût dit que je le baisasse,
Que tous mes maux je n'oubliasse !
Le glouton, de mal enteché
M'embrassoit... J'en suis bien plus grasse !
Que m'en reste il ? Honte et peché.

## LI

« Or est il mort, passé trente ans,
Et je remains vieille, chenue.
Quand je pense, lasse ! au bon temps,
Quelle fus, quelle devenue;
Quand me regarde toute nue,
Et je me vois si tres changee,
Pauvre, seche, megre, menue,
Je suis presque toute enragee.

1. Pour mon argent.    2. Maltraiter.

## LII

« Qu'est devenu ce front poli,
Ces cheveux blonds, sourcils voutis,
Grand entrœil, le regard joli,
Dont prénoie les plus soutis [1];
Ce beau nez droit, grand ne petis,
Ces petites jointes oreilles,
Menton fourchu, clair vis traitis [2],
Et ces belles levres vermeilles ?

## LIII

« Ces gentes épaules menues,
Ces bras longs et ces mains traitisses,
Petits tetins, hanches charnues,
Elevees, propres, faitisses [3]
A tenir amoureuses lices;
Ces larges reins, ce sadinet [4]
Assis sur grosses fermes cuisses
Dedans son petit jardinet ?

## LIV

« Le front ridé, les cheveux gris,
Les sourcils chus, les yeux éteints,
Qui faisoient regards et ris
Dont maints marchands furent atteints;
Nez courbes, de beauté lointains,
Oreilles pendantes, moussues,
Le vis pali, mort et déteins,
Menton froncé, levres peaussues...

1. Malins.    2. Bien dessiné.    3. Bien faites.    4. Nature
de la femme.

## LV

« C'est d'humaine beauté l'issue !
Les bras courts et les mains contraites [1], *perdue*
Des épaules toute bossue ;
Mamelles, quoi ? toutes retraites ;   *ratatinée*
Telles les hanches que les tettes ;
Du sadinet, fi ! Quant des cuisses,
Cuisses ne sont plus, mais cuissettes
Grivelees comme saucisses.   *tachetée*

## LVI

« Ainsi le bon temps regrettons
Entre nous, pauvres vieilles sottes,
Assises bas, a croupetons [2],
Tout en un tas comme pelotes,
A petit feu de chenevottes   *déchets de chanvre*
Tôt allumees, tôt éteintes ;
Et jadis fûmes si mignottes !
Ainsi en prend a maints et maintes. »

*c'est ce qui arrive à beaucoup de gens*

---

1. Contractées.     2. Accroupies.

## BALLADE
## DE LA BELLE HEAUMIERE
## AUX FILLES DE JOIE

« Or y pensez, belle Gantiere
Qui m'écoliere souliez être,
Et vous, Blanche la Savetiere,
Or il est temps de vous connaître,
Prenez a dêtre ou a senêtre [1];
N'épargnez homme, je vous prie :
Car vieilles n'ont ne cours ne être,
Ne que monnoie qu'on décrie.

« Et vous, la gente Saucissiere
Qui de danser êtes adêtre [2],
Guillemette la Tapissiere,
Ne méprenez [3] vers votre maître :
Tôt vous faudra clore fenêtre [4],
Quand deviendrez vieille, flétrie;
Plus ne servirez qu'un vieil prêtre,
Ne que monnoie qu'on décrie.

Jeanneton la Chaperonniere,
Gardez qu'ami ne vous empêtre [5];
Et Catherine la Boursiere,
N'envoyez plus les hommes paître;
Car qui belle n'est [6] ne perpetre
Leur male grace, mais leur rie [7] :
Laide vieillesse amour n'empetre [8]
Ne que monnoie qu'on décrie.

Filles, veuillez vous entremettre
D'écouter pour quoi pleure et crie :
Pour ce que je ne me puis mettre [9]
Ne que monnoie qu'on décrie.

---

1. A droite et à gauche.    2. Habile.    3. N'agissez pas mal.
4. Fermer boutique.    5. N'entrave votre liberté.    6. Celle qui
n'est pas belle.    7. Même si elle veut éviter une rebuffade en
leur souriant, c'est en vain (D. P.).    8. N'obtient (D. P.)
9. Mettre en circulation.

# LVII

Cette leçon ici leur baille
La belle et bonne de jadis,
Bien dit ou mal, vaille que vaille
Enregistrer j'ai fait ces dits
Par mon clerc Fremin l'étourdis,
Aussi rassis que je puis être.
S'il me dément, je le maudis :
Selon le clerc est duit [1] le maître.

# LVIII

Si aperçois le grand danger
Ouquel homme amoureux se boute;
Et qui me voudroit laidanger [2]
De ce mot, en disant : « Ecoute!
Se d'amer t'étrange et reboute [3]
Le barat [4] de celles nommees,
Tu fais une bien folle doute [5],
Car ce sont femmes diffamees.

# LIX

« S'ils n'aiment fors que pour l'argent,
On ne les aime que pour l'heure;
Rondement aiment toute gent,
Et rient lors que bourse pleure.
De celles ci n'est qui ne queure [6];
Mais en femmes d'honneur et nom
Franc homme, si Dieu me sequeure [7],
Se doit employer; ailleurs, non. »

---

1. Dressé (D. P.).      2. Injurier.      3. T'écarte et te détourne.
4. La tromperie.      5. Tu éprouves une sotte crainte.      6. Qui ne
soit une coureuse (D. P.).      7. Dieu me soit en aide!

## LX

Je prends qu'aucun die ceci,
Si ne me contente il en rien.
En effet, il conclut ainsi,
Et je le cuide entendre bien,
Qu'on doit amer en lieu de bien :
Assavoir mon [1] se ces fillettes
Qu'en paroles toute jour tien [2],
Ne furent ils femmes honnêtes ?

## LXI

Honnêtes si furent vraiment,
Sans avoir reproches ni blâmes.
Si est vrai qu'au commencement
Une chacune de ces femmes
Lors prinrent, ains qu'eussent diffames [3],
L'une un clerc, un lai, l'autre un moine,
Pour éteindre d'amours les flammes
Plus chaudes que feu Saint Antoine.

## LXII

Or firent selon le Decret
Leurs amis, et bien y apert;
Ils amoient en lieu secret,
Car autre qu'eux n'y avoit part.
Toutefois, cette amour se part [4] :
Car celle qui n'en avoit qu'un
D'icelui s'élongne et depart [5],
Et aime mieux amer chacun.

---

1. Reste à savoir.     2. Dont je parle toute la journée.
3. Avant qu'elles eussent mauvaise renommée.     4. Se partage.
5. Se sépare.

# LXIII

Qui les meut a ce? J'imagine,
Sans l'honneur des dames blâmer,
Que c'est nature femenine
Qui tout vivement veut amer.
Autre chose n'y sais rimer
Fors qu'on dit à Reims et a Trois
Voire a Lille ou a Saint Omer
Que six ouvriers font plus que trois.

# LXIV

Or ont ces fous amants le bond [1]
Et les dames prins la volee;
C'est le droit loyer qu'amours ont :
Toute foi y est violee,
Quelque doux baiser n'acolee [2].
« De chiens, d'oiseaux, d'armes, d'amours, »
Chacun le dit a la volee [3],
« Pour un plaisir mille doulours. »

---

1. *Sous-entendu :* de la balle.    2. Ou embrassade.    3. Au
jugé *(D. P.).*

## DOUBLE BALLADE

Pour ce, amez tant que voudrez,
Suivez assemblees et fêtes,
En la fin ja mieux n'en vaudrez
Et si n'y romprez que vos têtes;
Folles amours font les gens bêtes :
Salmon en idolatria [1],
Samson en perdit ses lunettes.
Bien heureux est qui rien n'y a!

Orpheüs le doux menetrier,
Jouant de flûtes et musettes,
En fut en danger du meurtrier
Chien Cerberus a quatre têtes;
Et Narcissus, le bel honnêtes,
En un parfond puis se noya
Pour l'amour de ses amourettes.
Bien heureux est qui rien n'y a!

Sardana, le preux chevalier
Qui conquit le regne de Cretes,
En voulut devenir moulier [2]
Et filer entre pucelettes;
David le roi, sage prophetes,
Crainte de Dieu en oublia,
Voyant laver cuisses bien faites.
Bien heureux est qui rien n'y a!

---

1. Devint  idolâtre.    2. Femme.

Amon en vout [1] deshonourer,
Feignant de manger tartelettes,
Sa sœur Thamar et déflourer,
Qui fut inceste deshonnêtes;
Herode, pas ne sont sornettes,
Saint Jean Baptiste en decola
Pour danses, sauts et chansonnettes.
Bien heureux est qui rien n'y a!

De moi, pauvre, je veuil parler :
J'en fus battu comme a ru teles [2],
Tout nu, ja ne le quiers celer [3].
Qui me fit mâcher ces groselles [4],
Fors Catherine de Vaucelles?
Noël le tiers est qui fut la.
Mitaines a ces noces telles!
Bien heureux est qui rien n'y a!

Mais que ce jeune bacheler
Laissât ces jeunes bachelettes?
Non! et le dût on brûler
Comme un chevaucheur d'écouvettes [5].
Plus douces lui sont que civettes;
Mais toutefois fol s'y fia :
Soient blanches, soient brunettes,
Bien heureux est qui rien n'y a!

---

1. Voulut.        2. Comme toiles au ruisseau.        3. Je ne cherche
pas à le cacher.        4. Subir cet affront.        5. Balais (sorcier) (D. P.).

## LXV

Se celle que jadis servoie
De si bon cœur et loyaument
Dont tant de maux et griefs j'avoie,
Et souffroie tant de torment,
Se dit m'eût, au commencement,
Sa voulenté (mais nenni, las !),
J'eusse mis peine aucunement
De moi retraire de ses lacs.

## LXVI

Quoi que je lui vousisse dire,
Elle étoit prête d'écouter
Sans m'accorder ni contredire ;
Qui plus, me souffroit acouter [1]
Joignant d'elle, pres m'accouter [2],
Et ainsi m'alloit amusant,
Et me souffroit tout raconter ;
Mais ce n'étoit qu'en m'abusant.

## LXVII

Abusé m'a et fait entendre
Toujours d'un que ce fût un autre ;
De farine, que ce fût cendre ;
D'un mortier, un chapeau de fautre ;
De vieil machefer que fût peautre [3] ;
D'ambesas [4] que ce fussent ternes [5] ;
(Toujours trompeur autrui enjautre [6]
Et rend vessies pour lanternes) ;

1. Approcher.    2. Presque m'appuyer.    3. Étain.
4. Deux as.    5. Deux trois.    6. Trompe.

# LXVIII

Du ciel, une poele d'arain;
Des nues, une peau de veau;
Du matin, qu'étoit le serein;
D'un trognon de chou, un naveau;
D'orde cervoise, vin nouveau;
D'une truie, un molin a vent;
Et d'une hart, un écheveau;
D'un gras abbé, un poursuivant.

# LXIX

Ainsi m'ont amours abusé
Et pourmené de l'huis au pêle.
Je crois qu'homme n'est si rusé,
Fût fin comme argent en coupelle,
Qui n'y laissât linge, drapelle,
Mais qu'il fût ainsi manié [1]
Comme moi, qui partout m'appelle
L'amant remis [2] et renié.

# LXX

Je renie Amours et dépite [3]
Et défie a feu et a sang.
Mort par elles me precipite [4],
Et ne leur en chaut pas d'un blanc.
Ma vielle ai mis sous le banc [5];
Amants je ne suivrai jamais :
Se jadis je fus de leur rang,
Je déclare que n'en suis mais.

---

1. Tourmenté.     2. Rejeté.     3. Méprise.     4. Jette la
tête en bas.     5. Au rancart (j'ai renoncé au plaisir) *(D. P.)*.

## LXXI

Car j'ai mis le plumail au vent [1],
Or le suive qui a attente [2].
De ce me tais dorenavant,
Car poursuivre veuil mon entente [3].
Et s'aucun m'interroge ou tente [4]
Comment d'Amour j'ose médire,
Cette parole le contente :
Qui meurt, a ses lois [5] de tout dire.

## LXXII

Je connois approcher ma seuf [6];
Je crache, blanc comme coton,
Jacopins [7] gros comme un éteuf [8].
Qu'est ce a dire ? Que Jeanneton
Plus ne me tient pour valeton [9],
Mais pour un vieil usé roquard :
De vieil porte voix et le ton,
Et ne suis qu'un jeune coquard.

## LXXIII

Dieu merci et Tacque Thibaut
Qui tant d'eau froide m'a fait boire,
Mis en bas lieu, non pas en haut,
Manger d'angoisse mainte poire,
Enferré... Quand j'en ai memoire,
Je pri pour lui *et reliqua*
Que Dieu lui doint, et voire, voire !
Ce que je pense... *et cetera*.

---

1. J'ai abandonné la partie.    2. La suive qui en attend quelque
chose.    3. Intention.    4. Ou m'entreprend pour savoir.
5. Raison.    6. Soif (celle de l'agonie) *(D. P.)*.    7. Crachats.
8. Comme une balle.    9. Petit jeune homme.

## LXXIV

Toutefois, je n'y pense mal
Pour lui, ne pour son lieutenant,
Aussi pour son official
Qui est plaisant et avenant;
Que faire n'ai du remenant,
Mais du petit maître Robert :
Je les aime tout d'un tenant [1]
Ainsi que Dieu fait le Lombard.

## LXXV

Si me souvient bien, Dieu mercis,
Que je fis a mon partement [2]
Certains lais, l'an cinquante six,
Qu'aucuns, sans mon consentement,
Voulurent nommer Testament;
Leur plaisir fut et non le mien.
Mais quoi? on dit communement
Qu'un chacun n'est maître du sien.

## LXXVI

Pour les revoquer ne le dis,
Et y courût toute [3] ma terre;
De pitié ne suis refroidis
Envers le Bâtard de la Barre :
Parmi ses trois gluyons de foerre [4],
Je lui donne mes vieilles nattes [5];
Bonnes seront pour tenir serre [6],
Et soi soutenir sur ses pattes.

1. En bloc (D. P.).     2. Départ.     3. Dût y être engagée.
4. Bottes de paille.     5. Mes vieux paillassons.     6. Tenir ferme.

## LXXVII

S'ainsi étoit qu'aucun n'eût pas
Reçu les lais que je lui mande,
J'ordonne qu'après mon trépas
A mes hoirs en face demande.
Mais qui sont-ils ? S'on le demande :
Moreau, Provins, Robin Turgis.
De moi, dites que je leur mande,
Ont eu jusqu'au lit ou je gis.

## LXXVIII

Somme, plus ne dirai qu'un mot,
Car commencer veuil a tester :
Devant mon clerc Fremin qui m'ot [1],
S'il ne dort, je veuil protester
Que n'entends homme detester [2]
En cette presente ordonnance,
Et ne la veuil magnifester
Si non ou royaume de France.

## LXXIX

Je sens mon cœur qui s'affoiblit
Et plus je ne puis papier [3].
Fremin, sieds toi pres de mon lit,
Que l'on ne me vienne épier;
Prends encre tôt, plume et papier;
Ce que nomme écris vitement,
Puis fais le partout copier;
Et veci le commencement.

1. M'entend.     2. Rayer du testament.     3. Pépier, parler.

## LXXX

Ou nom de Dieu, Pere eternel
Et du Fils que Vierge parit [1],
Dieu au Pere coeternel,
Ensemble et le Saint Esperit
Qui sauva ce qu'Adam perit [2],
Et du peri pare les cieux.
(Qui bien ce croit, peu ne merit [3],
Gens morts être faits petits dieux.

## LXXXI

Morts étoient, et corps et ames,
En damnee perdition,
Corps pourris et ames en flammes,
De quelconque condition.
Toutefois, fais exception
Des patriarches et prophetes;
Car, selon ma conception,
Onques grand chaud n'eurent aux fesses.

## LXXXII

Qui me diroit : « Qui te fait mettre
Si tres avant cette parole,
Qui n'es en theologie maître ?
A toi est presomption folle ! »
C'est de Jesus la parabole
Touchant le Riche enseveli
En feu, non pas en couche molle,
Et du Ladre de dessus li [4].

1. Enfanta.    2. Fit mourir.    3. N'a pas petit mérite.
4. Au-dessus de lui.

## LXXXIII

Se du Ladre eût vu le doigt ardre [1],
Ja n'en eût requis refrigere [2],
N'au bout d'icelui doigt aherdre [3],
Pour refraichir sa mâchouere.
Pions [4] y feront mate chere [5],
Qui boivent pourpoint et chemise.
Puis que boiture [6] y est si chere,
Dieu nous en gard, bourde jus mise [7] !)

## LXXXIV

Ou nom de Dieu, comme j'ai dit,
Et de sa glorieuse Mere
Sans peché, soit parfait ce dit
Par moi, plus maigre que chimere;
Se je n'ai eu fievre ephemere,
Ce m'a fait divine clemence,
Mais d'autre deuil et peine amere
Je me tais, et ainsi commence.

## LXXXV

Premier, je donne ma pauvre ame
A la benoite Trinité,
Et la commande a Notre Dame,
Chambre de la divinité,
Priant toute la charité
Des dignes neuf Ordres des Cieux
Que par eux soit ce don porté
Devant le trône précieux.

1. Brûler.    2. Rafraîchissement.    3. Toucher.    4. Buveurs.
5. Triste figure.    6. La boisson.    7. Plaisanterie à part.

## LXXXVI

Item, mon corps j'ordonne et laisse
A notre grand mere la terre;
Les vers n'y trouveront grand graisse,
Trop lui a fait faim dure guerre.
Or lui soit delivré grand erre :
De terre vint, en terre tourne;
Toute chose, se par trop n'erre,
Voulentiers en son lieu retourne.

## LXXXVII

Item, et a mon plus que pere,
Maître Guillaume de Villon,
Qui m'a été plus doux que mere
A enfant levé de maillon [1] :
Dejeté [2] m'a de maint bouillon
Et de cetui pas ne s'éjoie [3],
Si lui requiers a genouillon
Qu'il m'en laisse toute la joie;

## LXXXVIII

Je lui donne ma librairie
Et le Roman du Pet au Diable
Lequel maître Guy Tabarie
Grossa [4], qui est hom veritable [5].
Par cahiers est sous une table;
Combien qu'il soit rudement fait,
La matiere est si tres notable
Qu'elle amende tout le méfait.

---

1. Maillot.    2. Tiré.    3. Ne se réjouit.    4. Copia,
grossoya (D. P.).    5. Véridique.

### LXXXIX

Item, donne a ma pauvre mere
Pour saluer notre Maîtresse,
Qui pour moi ot douleur amere,
Dieu le sait, et mainte tristesse :
Autre chatel n'ai ne fortresse
Ou me retraye corps et ame,
Quand sur moi court male détresse,
Ne ma mere, la pauvre femme !

# BALLADE
## POUR PRIER NOTRE DAME

Dame du ciel, regente terrienne,
Emperiere des infernaux palus,
Recevez moi, votre humble chretienne,
Que comprinse soie entre vos élus,
Ce non obstant qu'onques rien ne valus.
Les biens de vous, ma Dame et ma Maîtresse,
Sont trop plus grands que ne suis pecheresse,
Sans lesquels biens âme ne peut merir [1]
N'avoir les cieux. Je n'en suis jangleresse [2] :
En cette foi je veuil vivre et mourir.

A votre Fils dites que je suis sienne;
De lui soient mes pechés abolus [3];
Pardonne a moi comme a l'Egyptienne,
Ou comme il fit au clerc Theophilus,
Lequel par vous fut quitte et absolus [4],
Combien qu'il eût au diable fait promesse.
Preservez moi que ne fasse jamais ce,
Vierge portant, sans rompure [5] encourir
Le sacrement qu'on celebre a la messe :
En cette foi je veuil vivre et mourir.

1. Mériter.   2. Je ne mens pas.   3. Abolis.   4. Absous.
5. Rupture.

Femme je suis pauvrette et ancienne,
Qui rien ne sais; oncques lettre ne lus.
Au moutier vois, dont suis paroissienne,
Paradis peint ou sont harpes et luths,
Et un enfer ou damnés sont boullus :
L'un me fait pour, l'autre joie et liesse.
La joie avoir me fais, haute deesse,
A qui pecheurs doivent tous recourir,
Comblés de foi, sans feinte ne paresse :
En cette foi je veuil vivre et mourir.

Vous portâtes, digne Vierge, princesse,
Iesus regnant qui n'a ne fin ne cesse.
Le Tout Puissant, prenant notre foiblesse,
Laissa les cieux et nous vint secourir,
Offrit a mort sa très chere jeunesse;
Notre Seigneur tel est, tel le confesse :
En cette foi je veuil vivre et mourir.

## XC

Item, m'amour, ma chere Rose,
Ne lui laisse ne cœur ne foie :
Elle ameroit mieux autre chose,
Combien qu'elle ait assez monnoie.
Quoi ? une grand bourse de soie,
Pleine d'écus, parfonde et large :
Mais pendu soit il, et le soie [1],
Qui lui laira [2] écu ne targe.

## XCI

Car elle en a, sans moi, assez.
Mais de cela il ne m'en chaut;
Mes plus grands deuils en sont passés,
Plus n'en ai le cropion chaud.
Si m'en remets aux hoirs Michaut
Qui fut nommé le bon Fouterre;
Priez pour lui, faites un saut :
A Saint Satur gît, sous Sancerre.

## XCII

Ce non obstant, pour m'acquitter
Envers Amour, plus qu'envers elle,
Car oncques n'y pus aquêter [3]
D'espoir une seule étincelle;
(Je ne sais s'a tous si rebelle
A été, ce m'est grand émoi :
Mais, par sainte Marie la belle !
Je n'y vois que rire pour moi),

1. Et que je le sois.    2. Laissera.    3. Obtenir.

## XCIII

Cette ballade lui envoie
Qui se termine tout par R.
Qui la portera, que je voie ?
Ce sera Pernet de la Barre,
Pourvu, s'il rencontre en son erre [1]
Ma damoiselle au nez tortu,
Il lui dira, sans plus enquerre [2] :
« Orde paillarde, dont viens tu ? »

*Ballade qui lui dit qu'elle se fliter*

## BALLADE A S'AMIE

Fausse beauté qui tant me coûte cher,
Rude en effet, hypocrite douceur,
Amour dure plus que fer a mâcher,
Nommer que puis, de ma défaçon seur [1],
Cherme felon, la mort d'un pauvre cœur,
Orgueil mussé qui gens met au mourir,
Yeux sans pitié, ne veut Droit de Rigueur,
Sans empirer [2], un pauvre secourir ?

Mieux m'eût valu avoir été sercher
Ailleurs secours, c'eût été mon honneur ;
Rien ne m'eût su lors de ce fait hâcher [3].
Trotter m'en faut en fuite et deshonneur.
Haro, haro, le grand et le mineur [4] !
Et qu'est ce ci ? Mourrai sans coup ferir ?
Ou Pitié veut, selon cette teneur,
Sans empirer, un pauvre secourir ?

Un temps viendra qui fera dessecher
Jaunir, flétrir votre épanie fleur ;
Je m'en risse, s'atant [5] pusse mâcher [6],
Las ! mais nenni, ce seroit donc foleur [7] :
Vieil je serai, vous laide, sans couleur ;
Or buvez fort, tant que ru peut courir ;
Ne donnez pas a tous cette douleur,
Sans empirer, un pauvre secourir.

Prince amoureux, des amants le graigneur [8],
Votre mal gré ne voudroie encourir,
Mais tout franc cœur doit, par Notre Seigneur,
Sans empirer, un pauvre secourir.

---

1. Sûr de ma destruction.     2. Avant que son état empire.
3. Appâter *(D. P.)*.     4. A l'aide, petits et grands !     5. Si alors.
6. Remuer la mâchoire.     7. Folie.     8. Plus grand *(D. P.)*.

## XCIV

Item, a maître Ythier Marchant,
Auquel mon brant laissai jadis,
Donne, mais qu'il le mette en chant,
Ce lai contenant des vers dix,
Et, au luth, un *De profundis*
Pour ses anciennes amours
Desquelles le nom je ne dis,
Car il me hairoit a tous jours.

## RONDEAU

Mort, j'appelle de ta rigueur,
Qui m'as ma maîtresse ravie,
Et n'es pas encore assouvie
Se tu ne me tiens en langueur :

Onc puis n'eus force ne vigueur ;
Mais que te nuisoit elle en vie,
          Mort ?

Deux étions et n'avions qu'un cœur ;
S'il est mort, force est que devie [1],
Voire, ou que je vive sans vie
Comme les images, par cœur [2],
          Mort !

1. Je trépasse.    2. Par la mémoire.

## XCV

Item, a maître Jean Cornu
Autre nouveau lais lui veuil faire,
Car il m'a tous jours secouru
A mon grand besoin et affaire :
Pour ce, le jardin lui transfère
Que maître Pierre Baubignon
M'arenta [1], en faisant refaire
L'huis, et redresser le pignon.

## XCVI

Par faute d'un huis, j'y perdis
Un gres et un manche de houe.
Alors huit faucons, non pas dix
N'y eussent pas prins une aloue.
L'hôtel est sûr, mais qu'on le cloue [2].
Pour enseigne y mis un havet [3];
Qui que l'ait prins, point ne m'en loue :
Sanglante [4] nuit et bas chevet !

## XCVII

Item, et pour ce que la femme
De maître Pierre Saint Amant
(Combien, se coulpe y a a l'ame,
Dieu lui pardonne doucement)
Me mit ou rang de caïmant,
Pour le Cheval Blanc qui ne bouge
Lui changeai a une jument,
Et la Mule a un âne rouge.

1. Bailla à rente.    2. Pourvu qu'on le fasse clore.    3. Outil
de crocheteur.    4. Détestable.

## XCVIII

Item, donne a sire Denis
Hesselin, élu de Paris,
Quatorze muids de vin d'Aunis
Prins sur Turgis a mes perils.
S'il en buvoit tant que peris
En fût son sens et sa raison,
Qu'on mette de l'eau es barils :
Vin perd mainte bonne maison.

## XCIX

Item, donne a mon avocat,
Maître Guillaume Charruau,
Quoi qu'il marchande ou ait état,
Mon brant; je me tais du fourreau.
Il aura, avec, un rëau
En change, afin que sa bourse enfle,
Prins sur la chaussee et carreau
De la grand couture du Temple.

## C

Item, mon procureur Fournier
Aura pour toutes ses corvees
(Simple sera de l'épargner)
En ma bourse quatre havees [1],
Car maintes causes m'a sauvees,
Justes, ainsi Jesus Christ m'aide !
Comme telles se sont trouvees;
Mais bon droit a bon métier d'aide.

1. Poignées.

## CI

Item, je donne a maître Jacques
Raguier *le Grand Godet* de Greve,
Pourvu qu'il paiera quatre plaques
(Dût il vendre, quoi qu'il lui greve
Ce dont on cueuvre mol et greve,
Aller nu jambe en eschapin),
Se sans moi boit, assied ne leve
Au trou de *la Pomme de Pin*.

## CII

Item, quant est de Merebeuf
Et de Nicolas de Louviers,
Vache ne leur donne ne bœuf,
Car vachers ne sont ne bouviers,
Mais gens a porter éperviers,
Ne cuidez pas que je me joue,
Pour prendre perdrix et plouviers,
Sans faillir [1], sur la Machecoue.

## CIII

Item, vienne Robin Turgis
A moi, je lui paierai son vin;
Combien, s'il treuve mon logis
Plus fort sera que le devin.
Le droit lui donne d'échevin,
Que j'ai comme enfant de Paris :
Se je parle un peu poitevin,
Ice [2] m'ont deux dames appris.

1. Sans manquer.    2. Cela.

### CIV

Elles sont tres belles et gentes
Demourants a Saint Generou,
Pres Saint Julien de Voventes,
Marche de Bretagne ou Poitou.
Mais i ne di [1] proprement ou
Iquelles [2] passent tous les jours;
M'arme! i ne seu [3] mie si fou,
Car i [4] veuil celer mes amours.

### CV

Item, a Jean Raguier je donne,
Qui est sergent, voire des Douze,
Tant qu'il vivra, ainsi l'ordonne,
Tous les jours une tallemouse [5],
Pour bouter et fourrer sa mouse [6],
Prinse a la table de Bailly;
A Maubué [7] sa gorge arrouse,
Car au manger n'a pas failli.

### CVI

Item, et au Prince des Sots
Pour un bon sot Michaut du Four,
Qui a la fois dit de bons mots
Et chante bien « Ma douce amour! »
Je lui donne, avec, le bonjour;
Bref, mais qu'il fût un peu en point [8],
Il est un droit sot de sejour [9],
Et est plaisant ou il n'est point [10].

---

1. Je ne dis.　　2. Celles-ci.　　3. Par mon âme! je ne suis.
4. Je (dialectal).　　5. Soufflé au fromage, au fig. : claque.　　6. Son
museau.　　7. A la fontaine Maubué.　　8. Bien disposé.　　9. Où
il séjourne (D. P.).　　10. Là où il n'est pas (D. P.).

## CVII

Item, aux Onze Vingts Sergents
Donne, car leur fait est honnête,
Et sont bonnes et douces gens,
Denis Richer et Jean Vallette,
A chacun une grande cornette [1]
Pour pendre a leurs chapeaux de fautres;
J'entends a ceux a pied, hohette!
Car je n'ai que faire des autres.

## CVIII

De rechef donne a Perrenet,
J'entends le Bâtard de la Barre,
Pour ce qu'il est beau fils et net,
En son écu, en lieu de barre,
Trois des plombés, de bonne carre [2],
Et un beau joli jeu de cartes.
Mais quoi! s'on l'oit vessir ne poirre [3],
En outre aura les fievres quartes.

## CIX

Item, ne veuil plus que Cholet
Dole, tranche, douve ne boise,
Relie broc ne tonnelet,
Mais tous ses outils changer voise [4]
A une épee lyonnoise,
Et retienne le hutinet [5]:
Combien qu'il n'aime bruit ne noise,
Si lui plaît il un tantinet.

1. Bride.  2. De bonne dimension.  3. Vesser ou péter.
4. Aille.  5. Maillet.

## CX

Item, je donne a Jean le Lou,
Homme de bien et bon marchand,
Pour ce qu'il est linget et flou [1],
Et que Cholet est mal serchant [2],
Un beau petit chiennet couchant
Qui ne laira [3] poulaille en voie,
Un long tabart et bien cachant
Pour les musser, qu'on ne les voie.

## CXI

Item, à *l'Orfevre de bois*
Donne cent clous, queues et têtes,
De gingembre sarrasinois,
Non pas pour accoupler ses boetes,
Mais pour joindre culs et quoettes,
Et coudre jambons et andouilles,
Tant que le lait en monte aux tettes
Et le sang en devale aux couilles.

## CXII

Au capitaine Jean Riou,
Tant pour lui que pour ses archers,
Je donne six hures de lou
Qui n'est pas viande de porchers,
Prins a [4] gros mâtins de bouchers,
Et cuites en vin de buffet [5].
Pour manger de ces morceaux chers,
On en feroit bien un malfait [6].

---

1. Mince et fluet.    2. Mauvais chercheur.    3. Laissera.
4. Avec.    5. Piquette.    6. On commettrait un méfait.

## CXIII

C'est viande un peu plus pesante
Que duvet n'est, plume ne liege;
Elle est bonne a porter en tente,
Ou pour user en quelque siege.
S'ils étaient prins a un piege,
Que ces mâtins ne sussent courre,
J'ordonne, moi qui suis son miege [1],
Que des peaux, sur l'hiver, se fourre.

## CXIV

Item, a Robinet Trascaille,
Qui en service (c'est bien fait)
A pied ne va comme une caille,
Mais sur roncin gros et refait [2],
Je lui donne, de mon buffet [3],
Une jatte qu'emprunter [4] n'ose;
Si aura ménage parfait :
Plus ne lui failloit autre chose.

## CXV

Item, donne a Perrot Girart,
Barbier juré de Bourg la Reine,
Deux bassins et un coquemart,
Puis qu'a gagner met telle peine.
Des ans y a demi douzaine
Qu'en son hôtel de cochons gras
M'apâtela une semaine,
Témoin l'abbesse de Pourras.

---

1. Médecin.     2. Gras.     3. De ma vaisselle.     4. Prêter.

## CXVI

Item, aux Freres mendiants,
Aux Devotes et aux Beguines,
Tant de Paris que d'Orleans,
Tant Turlupins que Turlupines,
De grasses soupes jacobines [1]
Et flans leur fait oblation;
Et puis après, sous les courtines,
Parler de contemplation.

## CXVII

Si ne suis je pas qui leur donne [2],
Mais de tous enfants sont les meres,
Et Dieu, qui ainsi les guerdonne,
Pour qui seuffrent peines ameres.
Il faut qu'ils vivent, les beaux peres,
Et mêmement ceux de Paris.
S'ils font plaisir a nos commeres,
Ils aiment ainsi leurs maris.

## CXVIII

Quoi que maître Jean de Poullieu
En vousît dire *et reliqua*,
Contraint et en publique lieu,
Honteusement s'en revoqua [3].
Maître Jean de Meun s'en moqua;
De leur façon si fit Mathieu [4];
Mais on doit honorer ce qu'a
Honoré l'Eglise de Dieu.

---

1. Chapons rôtis sur toasts au fromage.     2. Ce n'est pas moi qui leur donne.     3. Se rétracta.     4. Matheolus, auteur des *Lamentations*.

# CXIX

Si me soumets, leur serviteur,
En tout ce que puis faire et dire,
A les honorer de bon cœur
Et obeïr, sans contredire;
L'homme bien fol est d'en médire,
Car, soit a part ou en prêcher
Ou ailleurs, il ne faut pas dire
Se gens sont pour eux revancher [1].

# CXX

Item, je donne a frere Baude,
Demourant en l'hôtel des Carmes,
Portant chere [2] hardie et baude,
Une salade et deux guisarmes [3],
Que Detusca et ses gendarmes
Ne lui riblent [4] sa *Cage vert*.
Vieil est : s'il ne se rend aux armes,
C'est bien le diable de Vauvert.

# CXXI

Item, pour ce que le scelleur
Maint étron de mouche a mâché [5],
Donne, car homme est de valeur,
Son sceau d'avantage craché [6],
Et qu'il ait le pouce écaché [7]
Pour tout empreindre a une voie [8];
J'entends celui de l'Evéché,
Car les autres, Dieu les pourvoie!

---

1. Capables de se venger.   2. Visage fier.   3. Hallebardes
à deux tranchants.   4. Pillent.   5. A malaxé de la cire.   6. Im-
bibé d'avance de salive.   7. Aplati.   8. En une fois.

## CXXII

Quant des auditeurs messeigneurs
Leur granche ils auront lambroissee;
Et ceux qui ont les culs rogneux
Chacun une chaire percee;
Mais qu'a la petite Macee
D'Orleans, qui ot ma ceinture,
L'amende soit bien haut tauxee :
Elle est une mauvaise ordure.

## CXXIII

Item, donne a maître François,
Promoteur de la Vacquerie,
Un haut gorgerin d'Ecossois,
Toutefois sans orfaverie;
Car, quand reçut chevalerie,
Il maugrea Dieu et saint George.
Parler n'en oit qui ne s'en rie,
Comme enragé, a pleine gorge.

## CXXIV

Item, a maître Jean Laurens,
Qui a les pauvres yeux si rouges
Pour le peché de ses parents
Qui burent en barils et courges,
Je donne l'envers de mes bouges [1]
Pour tous les matins les torcher :
S'il fût archevêque de Bourges,
De cendal eût, mais il est cher.

1. Culottes.

# CXXV

Item, a maître Jean Cotart,
Mon procureur en cour d'Eglise,
Devoie environ un patart [1]
(Car a present bien m'en avise)
Quand chicaner [2] me fit Denise,
Disant que l'avoie maudite;
Pour son ame, qu'es cieux soit mise,
Cette oraison j'ai ci écrite.

---

1. Monnaie (deux sous et demi).    2. Poursuivre en justice.

## BALLADE ET ORAISON

Pere Noé, qui plantâtes la vigne,
Vous aussi, Loth, qui bûtes ou rocher,
Par tel parti qu'Amour qui gens engigne
De vos filles si vous fit approucher
(Pas ne le dis pour vous le reproucher),
Archetriclin, qui bien sûtes cet art,
Tous trois vous pri qu'o vous veuillez percher
L'ame du bon feu maître Jean Cotart!

Jadis extrait il fut de votre ligne,
Lui qui buvoit du meilleur et plus cher,
Et ne dût-il avoir vaillant un pigne;
Certes, sur tous, c'étoit un bon archer :
On ne lui sût pot des mains arracher;
De bien boire oncques ne fut fetart [1].
Nobles seigneurs, ne souffrez empêcher [2]
L'ame du bon feu maître Jean Cotart!

Comme homme bû qui chancelle et trepigne
L'ai vu souvent, quand il s'alloit coucher,
Et une fois il se fit une bigne,
Bien m'en souvient, a l'étal d'un boucher;
Bref, on n'eût sû en ce monde cercher
Meilleur pïon, pour boire tôt ou tard.
Faites entrer quand vous orrez hucher [3]
L'ame du bon feu maître Jean Cotart!

Prince, il n'eût sû jusqu'a terre cracher;
Toujours crioit : « Haro! la gorge m'ard. »
Et si ne sût onc sa seuf [4] étancher
L'ame du bon feu maître Jean Cotart.

---

1. Paresseux.    2. Écarter.    3. Appeler.    4. Soif.

## CXXVI

Item, veuil que le jeune Marle
Desormais gouverne mon change,
Car de changer envis [1] me mêle,
Pourvu que toujours baille en change,
Soit a privé, soit a étrange,
Pour trois écus si brettes targes [2],
Pour deux angelots [3] un grand ange [4]
Car amants doivent être larges.

## CXXVII

Item, j'ai sû, en ce voyage [5],
Que mes trois pauvres orphelins
Sont crûs et deviennent en âge,
Et n'ont pas têtes de belins [6],
Et qu'enfants d'ici à Salins
N'a mieux sachants leur tour d'école;
Or, par l'ordre des Mathelins [7],
Telle jeunesse n'est pas folle.

## CXXVIII·

Si veuil qu'ils voisent a l'étude;
Ou? sur maître Pierre Richer.
Le *Donat* est pour eux trop rude :
Je ne les y veuil empêcher [8].
Ils sauront, je l'aime plus cher,
*Ave salus* [9], *tibi decus*,
Sans plus grands lettres ensercher :
Toujours n'ont pas clercs l'audessus [10].

1. Malgré moi.     2. Boucliers bretons.     3. Fromages.
4. Monnaie d'or.     5. Pendant mon absence de Paris.     6. Moutons.
7. *Jeu de mots :* Trinitaires *ou* fous.     8. Je ne veux pas leur donner cette peine.     9. *Jeu de mots :* salut, *monnaie d'or.*     10. Le dessus.

## CXXIX

Ceci étudient, et ho ! [1]
Plus proceder je leur défends.
Quant d'entendre le grand *Credo* [2],
Trop fort il est pour tels enfants.
Mon long tabart en deux je fens;
Si veuil que la moitié s'en vende
Pour leur en acheter des flans,
Car jeunesse est un peu friande.

## CXXX

Et veuil qu'ils soient informés
En mœurs [3], quoi que coûte bature;
Chaperons auront enformés [4]
Et les pouces sur la ceinture,
Humbles a toute creature,
Disants : « Han ? Quoi ? Il n'en est rien ! »
Si diront gens, par aventure :
« Veci enfants de lieu de bien ! »

## CXXXI

Item, et mes pauvres clergeons
Auxquels mes titres resignai,
Beaux enfants et droits comme joncs
Les voyant, m'en dessaisinai [5];
Cens recevoir leur assignai,
Sur comme qui l'auroit en paume,
A un certain jour consigné
Sur l'hôtel de Gueuldry Guillaume.

1. Qu'ils étudient ceci, et hop !     2. *Jeu de mots :* Credo et crédit.     3. Formés aux bonnes mœurs.     4. Enfoncés.     5. Dessaisis.

## CXXXII

Quoi que jeunes et ébattants
Soient, en rien ne me déplaît :
Dedans trente ans ou quarante ans
Bien autres seront, se Dieu plaît.
Il fait mal qui ne leur complaît;
Ils sont tres beaux enfants et gents;
Et qui les bat ne fiert, fol est,
Car enfants si deviennent gens.

## CXXXIII

Les bourses des Dix et Huit Clercs
Auront; je m'y veuil travailler :
Pas ils ne dorment comme lairs
Qui trois mois sont sans réveiller.
Au fort, triste est le sommeiller
Qui fait aiser jeune en jeunesse,
Tant qu'en fin lui convient veiller
Quand reposer dût en vieillesse.

## CXXXIV

Si en écris au collateur [1]
Lettres semblables et pareilles :
Or prient pour leur bienfaiteur
Ou qu'on leur tire les oreilles.
Aucunes gens ont grands merveilles [2]
Que tant m'encline vers ces deux;
Mais, foi que dois fêtes et veilles,
Onques ne vis les meres d'eux !

---

1. Celui qui confère un bénéfice.    2. S'étonnent fort.

## CXXXV

Item, donne a Michaut Cul d'Oue
Et a sire Charlot Taranne
Cent sous (s'ils demandent : « Prins ou ? »
Ne leur chaille : ils vendront de manne [1])
Et unes houses [2] de basane,
Autant empeigne que semelle,
Pourvu qu'ils me salueront Jeanne,
Et autant une autre comme elle

## CXXXVI

Item, au seigneur de Grigny
Auquel jadis laissai Vicêtre,
Je donne la tour de Billy,
Pourvu, s'huis y a ne fenêtre
Qui soit ne debout ne en être,
Qu'il mette tres bien tout a point.
Fasse argent a dêtre et senêtre :
Il m'en faut [3], et il n'en a point.

## CXXXVII

Item, a Thibaut de la Garde...
Thibaut ? Je mens, il a nom Jean.
Que lui donrai je, que ne perde ?
(Assez ai perdu tout cet an;
Dieu y veuille pourvoir, *amen!*)
*Le Barillet*, par m'ame, voire !
Genevois est plus ancien
Et a plus beau nez pour y boire.

1. Ils tomberont comme la manne.     2. Une paire de bottes.
3. Il m'en manque.

# CXXXVIII

Item, je donne a Basanier
Notaire et greffier criminel,
De girofle plein un panier
Prins sur maître Jean de Ruel,
Tant a Mautaint, tant a Rosnel,
Et, avec ce don de girofle,
Servir de cœur gent et inel
Le seigneur qui sert saint Christofle [1],

# CXXXIX

Auquel cette ballade donne
Pour sa dame qui tous bien a.
S'amour ainsi tous ne guerdonne,
Je ne m'ébahis de cela,
Car au Pas conquêter l'alla
Que tint Regnier, roi de Secile,
Ou si bien fit et peu parla
Qu'oncques fit Hector ne Troïle.

## BALLADE
## POUR ROBERT D'ESTOUTEVILLE

Au point du jour, que l'éprevier s'ébat [1],
Mû de plaisir et par noble coutume,
(Bruit la mauvis et de joie s'ébat [2])
Reçoit son per et se joint a sa plume,
Offrir vous veuil, a ce desir m'allume,
Ioyeusement ce qu'aux amants bon semble.
Sachez qu'Amour l'écrit en son volume,
Et c'est la fin pour quoi sommes ensemble.

Dame serez de mon cœur, sans débat,
Entierement, jusque mort me consume,
Laurier souef qui pour mon droit combat,
Olivier franc m'ôtant toute amertume,
Raison ne veut que je desaccoutume,
Et en ce veuil avec elle m'assemble,
De vous servir, mais que m'y accoutume;
Et c'est la fin pour quoi sommes ensemble.

Et qui plus est, quand deuil sur moi s'embat [3],
Par Fortune qui souvent si se fume [4],
Votre doux œil sa malice rabat,
Ne mais ne mains [5] que le vent fait la plume.
Si ne perds pas la graine que je sume [6]
En votre champ quand le fruit me ressemble.
Dieu m'ordonne que le fouïsse et fume;
Et c'est la fin pour quoi sommes ensemble.

Princesse, oyez ce que ci vous resume :
Que le mien cœur du vôtre desassemble [7]
Ja ne sera : tant de vous en presume;
Et c'est la fin pour quoi sommes ensemble.

---

1. S'agite en battant des ailes.    2. Prend ses ébats.    3. Se jette.    4. Fâche.    5. Ni plus ni moins.    6. Sème.    7. Se sépare.

## CXL

Item, a sire Jean Perdrier
Rien, n'a François, son second frere.
Si m'ont voulu toujours aidier
Et de leurs biens faire confrere;
Combien que François mon compere
Langues cuisants, flambants et rouges,
Mi commandement, mi priere,
Me recommanda fort a Bourges.

## CXLI

Si allai voir en Taillevent,
Ou chapitre de fricassure,
Tout au long, derriere et devant,
Lequel n'en parle jus ne sure [1].
Mais Macquaire, je vous assure,
A tout le poil cuisant un diable,
Afin que sentît bon l'arsure [2],
Ce recipe m'écrit, sans fable.

1. Ni en bas ni en haut.  2. La grillade.

## BALLADE

En realgar [1], en arsenic rocher,
En orpiment [2], en salpêtre et chaux vive,
En plomb boullant pour mieux les émorcher [3],
En suif et poix détrempés de lessive
Faite d'étrons et de pissat de juive,
En lavailles de jambes a meseaux [4],
En raclure de pieds et vieux houseaux,
En sang d'aspic et tels drogues vlimeuses,
En fiel de loups, de renards et blaireaux,
Soient frites ces langues envieuses!

En cervelle de chat qui hait pêcher,
Noir et si vieil qu'il n'ait dent en gencive,
D'un vieil mâtin qui vaut bien aussi cher,
Tout enragé, en sa bave et salive,
En l'écume d'une mule poussive,
Detranchee menu a bons ciseaux,
En eau ou rats plongent groins et museaux,
Raines [5], crapauds et bêtes dangereuses,
Serpents, lezards et tels nobles oiseaux,
Soient frites ces langues envieuses!

1. Sulfure rouge d'arsenic.   2. Sulfure jaune d'arsenic.
3. Étouffer (D. P.).   4. Lépreux.   5. Grenouilles.

En sublimé, dangereux a toucher,
Et ou nombril d'une couleuvre vive,
En sang qu'on voit es palettes secher
Chez les barbiers quand pleine lune arrive,
Dont l'un est noir, l'autre plus vert que cive [1],
En chancre et fic [2], et en ces ords cuveaux
Ou nourrices essangent leurs drapeaux [3],
En petits bains de filles amoureuses
(Qui ne m'entend n'a suivi les bordeaux)
Soient frites ces langues envieuses !

Prince, passez tous ces friants morceaux,
S'étamine, sacs n'avez ou bluteaux,
Parmi le fond d'unes braies breneuses ;
Mais, par avant, en étrons de pourceaux
Soient frites ces langues envieuses !

---

1. Ciboule.    2. Tumeur.    3. Décrassent leurs langes.

## CXLII

Item, a maître Andry Couraud
*Les Contredits Franc Gontier* mande;
Quant du tyran seant en haut,
A cetui la rien ne demande.
Le Saige ne veut que contende [1]
Contre puissant pauvre homme las [2],
Afin que ses filés ne tende
Et qu'il ne trébuche en ses lacs.

## CXLIII

Gontier ne crains : il n'a nuls hommes
Et mieux que moi n'est herité [3],
Mais en ce debat ci nous sommes,
Car il loue sa pauvreté,
Etre pauvre hiver et été,
Et a felicité repute
Ce que tiens a malheureté.
Lequel a tort ? Or en dispute [4].

1. Entre en lutte.      2. Malheureux.      3. N'est pas plus riche
que moi.      4. J'en discute *(D. P.)*.

# LES CONTREDITS
# DE FRANC GONTIER
**BALLADE**

Sur mol duvet assis, un gras chanoine,
Lez un brasier, en chambre bien nattee [1],
A son côté gisant dame Sidoine
Blanche, tendre, polie et attintee [2],
Boire hypocras, a jour et a nuitee,
Rire, jouer, mignonner et baiser,
Et nu a nu, pour mieux des corps s'aiser,
Les vis tous deux, par un trou de mortaise :
Lors je connus que, pour deuil apaiser,
Il n'est tresor que de vivre a son aise.

Se Franc Gontier et sa compagne Helene
Eussent cette douce vie hantee,
D'oignons, civots, qui causent forte haleine
N'acontassent une bise tostee [3].
Tout leur maton [4], ne toute leur potee,
Ne prise un ail, je le dis sans noiser [5].
S'ils se vantent coucher sous le rosier,
Lequel vaut mieux ? Lit côtoyé de chaise ?
Qu'en dites vous ? Faut il a ce muser ?
Il n'est tresor que de vivre a son aise.

1. Tapissée.     2. Parée.     3. N'estimassent une rôtie de pain
bis.     4. Caillé.     5. Sans chicaner.

De gros pain bis vivent, d'orge, d'avoine,
Et boivent eau tout au long de l'annee.
Tous les oiseaux d'ici en Babyloine
A tel écot une seule journee
Ne me tendroient, non une matinee.
Or s'ébatte, de par Dieu, Franc Gontier,
Helene o lui, sous le bel églantier :
Se bien leur est, cause n'ai qu'il me pese;
Mais quoi qu'il soit du laboureux métier,
Il n'est tresor que de vivre a son aise.

Prince, jugez, pour tous nous accorder.
Quant est de moi, mais qu'a nul ne déplaise,
Petit enfant, j'ai oï recorder :
Il n'est tresor que de vivre a son aise.

# CXLIV

Item, pour ce que sait sa Bible
Ma damoiselle de Bruyeres,
Donne prêcher hors l'Evangile
A elle et a ses bachelieres,
Pour retraire ces villotieres [1]
Qui ont le bec si affilé,
Mais que ce soit hors cimetieres,
Trop bien au marché au filé.

## BALLADE DES FEMMES DE PARIS

Quoi qu'on tient belles langageres
Florentines, Venitiennes,
Assez pour être messageres,
Et mêmement les anciennes;
Mais soient Lombardes, Romaines,
Genevoises, a mes perils [1],
Pimontoises, Savoisiennes,
Il n'est bon bec que de Paris.

De beau parler tiennent chaïeres [2],
Ce dit-on, les Napolitaines,
Et sont tres bonnes caquetieres
Allemandes et Prussiennes;
Soient Grecques, Egyptiennes,
De Hongrie ou d'autre pays,
Espagnoles ou Catelennes,
Il n'est bon bec que de Paris.

Brettes [3], Suisses n'y savent gueres,
Gasconnes, n'aussi Toulousaines :
De Petit Pont deux harengeres
Les concluront, et les Lorraines,
Angloises et Calaisiennes,
(Ai-je beaucoup de lieux compris ?)
Picardes de Valenciennes;
Il n'est bon bec que de Paris.

Prince, aux dames Parisiennes
De bien parler donnez le prix;
Quoi que l'on die d'Italiennes,
Il n'est bon bec que de Paris.

---

1. Je m'en porte garant.     2. Chaires.     3. Bretonnes.

## CXLV

Regarde m'en deux, trois, assises
Sur le bas du pli de leurs robes,
En ces moutiers, en ces eglises;
Tire toi pres, et ne te hobes [1];
Tu trouveras la que Macrobes
Oncques ne fit tels jugements.
Entends; quelque chose en dérobes :
Ce sont de beaux enseignements.

## CXLVI

Item, et au mont de Montmartre,
Qui est un lieu mout ancïen,
Je lui donne et adjoins le tertre
Qu'on dit le mont Valerien;
Et, outre plus, un quartier d'an [2]
Du pardon [3] qu'apportai de Rome :
Si ira maint bon chretïen
Voir l'abbaye ou il n'entre homme.

## CXLVII

Item, varlets et chamberieres
De bons hôtels (rien ne me nuit [4])
Feront tartes, flans et goyeres,
Et grand rallias [5] a minuit :
(Rien n'y font sept pintes ne huit),
Tant que gisent seigneur et dame;
Puis après, sans mener grand bruit,
Je leur ramentois [6] le jeu d'âne.

---

1. Ne bouge pas.    2. Un trimestre.    3. De l'indulgence.
4. Cela ne me nuit en rien.    5. Festin.    6. Rappelle.

## CXLVIII

Item, et a filles de bien,
Qui ont peres, meres et antes [1],
Par m'ame! je ne donne rien,
Car j'ai tout donné aux servantes.
Si fussent ils de peu contentes :
Grand bien leur fissent maints lopins,
Aux pauvres filles, endementes [2],
Qui [3] se perdent aux Jacopins.

## CXLIX

Aux Celestins et aux Chartreux :
Quoi que vie menent étroite,
Si ont ils largement entre eux
Dont pauvres filles ont soufraite [4];
Témoin Jacqueline et Perrette
Et Isabeau qui dit : « Enné ! » [5],
Puisqu'ils en ont telle disette,
A peine en seroit on damné.

## CL

Item, a la grosse Margot
Tres douce face et pourtraiture,
Foi que dois *brulare bigod* [6],
Assez devote creature;
Je l'aime de propre nature,
Et elle moi, la douce sade [7]
Qui la trouvera d'aventure,
Qu'on lui lise cette ballade.

---

1. Tantes.    2. Pendant ce temps-là.    3. *Amphibologie
voulue.*    4. Sont privées.    5. Certes.    6. By'r Lord, by God.
7. Avenante.

# BALLADE
## DE LA GROSSE MARGOT

Se j'aime et sers la belle de bon hait [1],
M'en devez vous tenir a vil ne sot?
Elle a en soi des biens a fin souhait.
Pour son amour ceins bouclier et passot [2];
Quand viennent gens, je cours et happe un pot,
Au vin m'en vois, sans demener grand bruit;
Je leur tens eau, fromage, pain et fruit.
S'ils payent bien, je leur dis : « *Bene stat* [3];
Retournez ci, quand vous serez en ruit,
En ce bordeau ou tenons notre état. »

Mais adoncques il y a grand déhait [4]
Quand sans argent s'en vient coucher Margot;
Voir ne la puis, mon cœur a mort la hait.
Sa robe prends, demi ceint [5] et surcot [6],
Si lui jure qu'il tendra pour l'écot [7].
Par les côtés se prend : « C'est Antechrist ! »
Crie et jure par la mort Jesus Christ
Que non fera. Lors j'empoigne un éclat [8];
Dessus son nez lui en fais un écrit,
En ce bordeau ou tenons notre état.

1. De bon gré.   2. Dague.   3. Ça va.   4. Mauvaise
humeur.   5. Ceinturette.   6. Robe de dessus.   7. Qu'ils
compenseront l'écot.   8. Un morceau de bois.

Puis paix se fait et me lâche un gros pet,
Plus enflee qu'un vlimeux escarbot.
Riant m'assied son poing sur mon sommet [1],
Gogo me dit, et me fiert le jambot [2].
Tous deux ivres, dormons comme un sabot.
Et au réveil, quand le ventre lui bruit,
Monte sur moi, que ne gâte son fruit.
Sous elle geins, plus qu'un ais me fais plat,
De paillarder tout elle me détruit [3],
En ce bordeau ou tenons notre état.

Vente, grêle, gèle, j'ai mon pain cuit.
Ie suis paillard, la paillarde me suit.
Lequel vaut mieux ? Chacun bien s'entresuit.
L'un l'autre vaut; c'est a mau rat mau chat.
Ordure amons, ordure nous assuit [4];
Nous défuyons honneur, il nous défuit,
En ce bordeau ou tenons notre état.

---

### CLI

Item, a Marion l'Idole
Et la grand Jeanne de Bretaigne
Donne tenir publique école
Ou l'écolier le maître enseigne,
Lieu n'est ou ce marché se teigne
Si non a la grille de Meun;
De quoi je dis : « Fi de l'enseigne,
Puisque l'ouvrage est si commun ! »

### CLII

Item, et a Noel Jolis
Autre chose je ne lui donne
Fors plein poing d'osiers frais cueillis
En mon jardin; je l'abandonne.
Châtoy [1] est une belle aumône,
Ame n'en doit être marri :
Onze vingts coups lui en ordonne,
Livrés par la main de Henri.

### CLIII

Item, ne sais qu'a l'Hôtel Dieu
Donner, n'a pauvres hôpitaux;
Bourdes n'ont ici temps ne lieu,
Car pauvres gens ont assez maux.
Chacun leur envoie leurs os [2]
Les mendiants ont eu mon oie [3];
Au fort ils en auront les os :
A menue gent, menue monnoie.

1. Correction.    2. Déchets.    3. Cf. *Lais XVI* et *XXXII*.

## CLIV

Item, je donne a mon barbier
Qui se nomme Colin Galerne,
Pres voisin d'Angelot l'herbier,
Un gros glaçon (prins ou ? en Marne),
Afin qu'a son aise s'hiverne.
De l'estomac le tienne près :
Se l'hiver ainsi se gouverne,
Il aura chaud l'été d'après.

## CLV

Item, rien aux Enfants trouvés;
Mais les perdus faut que console.
Si doivent être retrouvés,
Par droit, sur [1] Marion l'Idole.
Une leçon de mon école
Leur lirai, qui ne dure guiere.
Tête n'aient dure ne folle;
Écoutent! Car c'est la derniere.

---

1. Près de.

# BELLE LEÇON
# AUX ENFANTS PERDUS

## CLVI

« Beaux enfants, vous perdrez la plus
Belle rose de vo chapeau;
Mes clercs près prenants comme glus,
Se vous allez a Montpipeau
Ou a Ruel, gardez la peau :
Car pour s'ébattre en ces doux lieux,
Cuidant que vausît le rappeau [1],
La perdit Colin de Cayeux.

## CLVII

« Ce n'est pas un jeu de trois mailles [2],
Ou va corps, et peut être l'ame.
Qui perd, rien n'y sont repentailles
Qu'on n'en meure a honte et diffame [3];
Et qui gagne n'a pas a femme
Dido, la roine de Carthage.
L'homme est donc bien fol et infame
Qui, pour si peu, couche [4] tel gage.

1. Appel à la justice ecclésiastique.     2. Petit jeu sans conséquence.     3. Déshonneur.     4. Risque.

# CLVIII

« Qu'un chacun encore m'écoute !
On dit, et il est verité,
Que charterie [1] se boit toute,
Au feu l'hiver, au bois l'été.
S'argent avez, il n'est enté [2],
Mais le dépendez [3] tôt et vite.
Qui en voyez vous herité [4] ?
Jamais mal acquît ne profite.

---

1. Gain d'un charretier.     2. Il n'est pas greffé (mis en réserve).
3. *Sous-entendu* : vous.     4. Possesseur.

## BALLADE DE BONNE DOCTRINE
## A CEUX DE MAUVAISE VIE

« Car ou soies porteur de bulles,
Pipeur ou hasardeur de dés,
Tailleur de faux coins et te brûles
Comme ceux qui sont échaudés,
Traîtres parjurs, de foi vidés ;
Soies larron, ravis ou pilles :
Ou en va l'acquêt, que cuidez ?
Tout aux tavernes et aux filles.

« Rime, raille, cymbale, luthes,
Comme fol feintif [1], eshontés ;
Farce, brouille [2], joue des flûtes ;
Fais, es villes et es cités
Farces, jeux et moralités,
Gagne au berlan, au glic [3], aux quilles,
Aussi bien va, or écoutez !
Tout aux tavernes et aux filles.

« De tels ordures te recules ?
Laboure, fauche champs et prés,
Sers et panse chevaux et mules,
S'aucunement tu n'es lettrés ;
Assez auras, se prends en grés [4].
Mais, se chanvre broyes ou tilles,
Ne tend ton labour qu'as ouvrés
Tout aux tavernes et aux filles ?

« Chausses, pourpoints aiguilletés [5],
Robes, et toutes vos drapilles,
Ains que vous fassiez pis, portez
Tout aux tavernes et aux filles.

---

1. Trompeur.    2. Bonimente.    3. Jeux de cartes.    4. Si
tu te tiens pour satisfait.    5. Munis d'aiguillettes.

### CLIX

« A vous parle, compains de galle [1] :
Mal des ames et bien du corps,
Gardez vous tous de ce mau hâle
Qui noircit les gens quand sont morts :
Eschevez [2] le, c'est un mal mors [3] ;
Passez vous [4] au mieux que pourrez;
Et pour Dieu, soyez tous records [5]
Qu'une fois viendra que mourrez. »

### CLX

Item, je donne aux Quinze Vingts
(Qu'autant vaudroit nommer Trois Cents)
De Paris, non pas de Provins,
Car a eux tenu je me sens.
Ils auront, et je m'y consens,
Sans les étuis, mes grands lunettes,
Pour mettre a part, aux Innocents,
Les gens de bien des deshonnêtes.

### CLXI

Ici n'y a ne ris ne jeu.
Que leur valut avoir chevances [6],
N'en grands lits de parement jeu [7],
Engloutir vins en grosses panses,
Mener joie, fêtes et danses,
Et de ce prêt être a toute heure ?
Toutes faillent [8] telles plaisances,
Et la coulpe si en demeure.

---

1. Plaisir.     2. Évitez.     3. Mauvaise morsure.     4. Conten-
tez.     5. Rappelez-vous.     6. Richesses.     7. Avoir couché.
8. Finissent.

## CLXII

Quand je considere ces têtes
Entassees en ces charniers,
Tous furent maîtres des requêtes,
Au moins de la Chambre aux Deniers,
Ou tous furent portepaniers :
Autant puis l'un que l'autre dire;
Car d'evêques ou lanterniers,
Je n'y connois rien a redire [1].

## CLXIII

Et icelles qui s'enclinoient
Unes contre autres en leurs vies,
Desquelles les unes regnoient,
Des autres craintes et servies,
La les vois toutes assouvies [2],
Ensemble en un tas pêle mêle.
Seigneuries leur sont ravies;
Clerc ne maître ne s'y appelle.

## CLXIV

Or ils sont morts, Dieu ait leurs ames !
Quant est des corps, ils sont pourris,
Aient été seigneurs ou dames,
Souef et tendrement nourris
De crème, fromentee [3] ou riz;
Leurs os sont declinés [4] en poudre,
Auxquels ne chaut d'ébats ne ris.
Plaise au doux Jesus les absouare !

---

1. Je n'y vois aucune différence.    2. Parvenues à leur fin.
3. Bouillie de farine aux œufs.    4. Réduits.

## CLXV

Aux trépassés je fais ce lais
Et icelui je communique
A regents, cours, sieges, palais,
Haineurs d'avarice l'inique
Lesquels pour la chose publique
Se sechent les os et les corps :
De Dieu et de saint Dominique
Soient absous quand seront morts.

## CLXVI

Item, rien a Jacquet Cardon,
Car je n'ai rien pour lui d'honnête,
Non pas que le jette a bandon [1],
Sinon cette bergeronnette;
S'elle eût le chant *Marionnette*
Fait pour Marion la Peautarde,
Ou d'*Ouvrez votre huis, Guillemette*,
Elle allât bien a la moutarde [2] :

1. L'abandonne sans ressources.    2. Avec les enfants qui vont à la moutarde.

## CHANSON

Au retour de dure prison
Ou j'ai laissé presque la vie,
Se Fortune a sur moi envie
Jugez s'elle fait méprison [1] !

Il me semble que, par raison,
Elle dût bien être assouvie
        Au retour.

Se si pleine est de déraison
Que veuille que du tout dévie [2],
Plaise a Dieu que l'ame ravie
En soit lassus, en sa maison,
        Au retour !

1. Si elle se méprend.      2. Je meurs tout à fait.

## CLXVII

Item, donne a maître Lomer,
Comme extrait que je suis de fee,
Qu'il soit bien amé (mais d'amer
Fille en chef [1] ou femme coeffee,
Ja n'en ait la tête échauffee)
Et qu'il ne lui coûte une noix
Faire un soir cent fois la faffee [2],
En dépit d'Ogier le Danois.

## CLXVIII

Item, donne aux amants enfermes [3],
Outre le lais Alain Chartier,
A leurs chevets, de pleurs et larmes
Trétout fin plein un benoitier,
Et un petit brin d'églantier,
Qui soit tout vert, pour guepillon,
Pourvu qu'ils diront un psautier [4]
Pour l'ame du pauvre Villon.

## CLXIX

Item, a maître Jacques James,
Qui se tue d'amasser biens,
Donne fiancer tant de femmes
Qu'il voudra, mais d'épouser, riens.
Pour qui amasse il ? Pour les siens.
Il ne plaint fors que ses morceaux [5] ;
Ce qui fut aux truies, je tiens
Qu'il doit de droit être aux pourceaux.

---

1. Tête nue.   2. La bagatelle.   3. Infirmes.   4. Un rosaire.
5. Ses dépenses de table.

## CLXX

Item, sera le Senéchal,
Qui une fois paya mes dettes,
En recompense, maréchal
Pour ferrer oues et canettes.
Je lui envoie ces sornettes
Pour soi desennuyer; combien,
S'il veut, fasse en des allumettes :
De bien chanter s'ennuie on bien.

## CLXXI

Item, au Chevalier du Guet
Je donne deux beaux petits pages,
Philebert et le gros Marquet,
Qui tres bien servi, comme sages,
La plus partie de leurs âges,
Ont le prevôt des maréchaux,
Helas ! s'ils sont cassés de gages,
Aller leur faudra tous déchaux.

## CLXXII

Item, a Chappelain je laisse
Ma chapelle a simple tonsure,
Chargee d'une seche messe
Ou il ne faut pas grand lecture.
Resigné lui eusse ma cure,
Mais point ne veut de charge d'ames;
De confesser, ce dit, n'a cure
Sinon chamberieres et dames.

## CLXXIII

Pour ce que sait bien mon entente
Jean de Calais, honorable homme,
Qui ne me vit des ans a trente
Et ne sait comme je me nomme,
De tout ce testament, en somme,
S'aucun y a difficulté,
Oter jusqu'au res [1] d'une pomme
Je lui en donne faculté.

## CLXXIV

De le gloser et commenter,
De le difinir et décrire,
Diminuer ou augmenter,
De le canceller [2] et prescrire
De sa main, et ne sût écrire,
Interpreter et donner sens,
A son plaisir, meilleur ou pire :
A tout ceci je m'y consens.

## CLXXV

Et s'aucun, dont n'ai connoissance,
Etoit allé de mort a vie,
Je veuil et lui donne puissance,
Afin que l'ordre soit suivie,
Pour être mieux parassouvie [3],
Que cette aumône ailleurs transporte,
Sans se l'appliquer par envie : [4]
A son ame [4] je m'en rapporte.

---

1. A la pelure.    2. Annuler.    3. Parfaite.    4. A sa conscience.

## CLXXVI

Item, j'ordonne a Sainte Avoie,
Et non ailleurs, ma sepulture;
Et afin que chacun me voie,
Non pas en char, mais en peinture,
Que l'on tire mon estature
D'encre, s'il ne coûtoit trop cher.
De tombel? rien : je n'en ai cure,
Car il greveroit [1] le plancher.

## CLXXVII

Item, veuil qu'autour de ma fosse
Ce qui s'ensuit, sans autre histoire [2],
Soit écrit en lettre assez grosse,
Et qui n'auroit point d'écritoire,
De charbon ou de pierre noire,
Sans en rien entamer le plâtre;
Au moins sera de moi memoire,
Telle qu'elle est d'un bon folâtre.

1. Abîmerait.    2. Inscription.

## ÉPITAPHE ET RONDEAU

CI GÎT ET DORT EN CE SOLIER [1]
QU'AMOUR OCCIT DE SON RAILLON [2],
UN PAUVRE PETIT ÉCOLIER
QUI FUT NOMMÉ FRANÇOIS VILLON.
ONCQUES DE TERRE N'EUT SILLON.
IL DONNA TOUT, CHACUN LE SAIT :
TABLES, TRÉTEAUX, PAIN, CORBILLON.
GALANTS, DITES EN CE VERSET :

REPOS ETERNEL DONNE A CIL,
SIRE, ET CLARTÉ PERPETUELLE,
QUI VAILLANT PLAT NI ECUELLE
N'OT ONCQUES, N'UN BRIN DE PERSIL.

IL FUT RES, CHEF, BARBE ET SOURCIL,
COMME UN NAVET QU'ON RET OU PELE.
REPOS ETERNEL DONNE A CIL.

RIGUEUR LE TRANSMIT EN EXIL
ET LUI FRAPPA AU CUL LA PELLE,
NON OBSTANT QU'IL DÎT : « J'EN APPELLE ! »
QUI N'EST PAS TERME TROP SUBTIL.
REPOS ETERNEL DONNE A CIL.

---

1. Grenier (D. P.).      2. Sa flèche.

## CLXXVIII

Item, je veux qu'on sonne a branle
Le gros beffroi qui est de verre;
Combien qu'il n'est cœur qui ne tremble,
Quand de sonner est a son erre [1].
Sauvé a mainte bonne terre,
Le temps passé, chacun le sait :
Fussent gens d'armes ou tonnerre,
Au son de lui, tout mal cessoit.

## CLXXIX

Les sonneurs auront quatre miches,
Et se c'est peu, demi douzaine;
Autant n'en donnent les plus riches,
Mais ils seront de Saint Étienne.
Volant est homme de grand peine :
L'un en sera; quand j'y regarde,
Il en vivra une semaine.
Et l'autre ? Au fort, Jean de la Garde.

## CLXXX

Pour tout ce fournir et parfaire
J'ordonne mes executeurs,
Auxquels fait bon avoir affaire
Et contente bien leurs detteurs.
Ils ne sont pas mout grands vanteurs,
Et ont bien de quoi, Dieu mercis !
De ce fait seront directeurs.
Ecris : je t'en nommerai six.

1. En train.

### CLXXXI

C'est maître Martin Bellefaye,
Lieutenant du cas criminel.
Qui sera l'autre? J'y pensoie :
Ce sera sire Colombel;
S'il lui plaît et il lui est bel [1],
Il entreprendra cette charge.
Et l'autre? Michel Jouvenel.
Ces trois seuls, et pour tout, j'en charge.

### CLXXXII

Mais, ou cas qu'ils s'en excusassent,
En redoutant les premiers frais,
Ou totalement recusassent,
Ceux qui s'ensuivent ci après
Institue, gens de bien tres :
Phelip Brunel, noble écuyer,
Et l'autre, son voisin d'emprès,
Si est maître Jacques Raguier,

### CLXXXIII

Et l'autre, maître Jacques James,
Trois hommes de bien et d'honneur,
Desirants de sauver leurs ames
Et doutants Dieu Notre Seigneur.
Plus tôt y mettroient du leur
Que cette ordonnance ne baillent [2];
Point n'auront de contreroleur,
Mais a leur bon plaisir en taillent.

---

1. Agréable.    2. Exécutent.

*vestiges*

*B. château vrai = pauv*

## CLXXXIV

Des testaments [1] qu'on dit le Maître
De mon fait n'aura *quid* ne *quod;*
Mais ce sera un jeune prêtre
Qui est nommé Thomas Tricot.
Voulentiers busse a son écot [2],
Et qu'il me coûtât ma cornette !
S'il sût jouer a un tripot,
Il eût de moi *le Trou Perrette.*

## CLXXXV

Quant au regard du luminaire,
Guillaume du Ru j'y commets.
Pour porter les coins du suaire,
Aux executeurs le remets.
Trop plus mal me font qu'oncques mais
Penil, cheveux, barbe, sourcils.
Mal me presse; est temps desormais
Que crie a toutes gens mercis.

1. *Sous-entendu :* celui.    2. A ses frais.

## BALLADE DE MERCI

A Chartreux et a Celestins,
A Mendiants et a Devotes,
A musards et claquepatins,
A servans et filles mignottes
Portants surcots et justes cottes,
A cuidereaux [1] d'amour transis,
Chaussants sans méhaing [2] fauves bottes,
Je crie a toutes gens mercis.

A fillettes montrants tetins,
Pour avoir plus largement hôtes,
A ribleurs, mouveurs de hutins [3],
A bateleurs trainants marmottes,
A fous et folles, sots et sottes,
Qui s'en vont sifflant six a six,
A marmousets et mariottes [4],
Je crie a toutes gens mercis.

Sinon aux traîtres chiens mâtins
Qui m'ont fait ronger dures crôtes
Et mâcher maints soirs et matins,
Qu'ore je ne crains pas trois crottes.
Je fisse pour eux pets et rottes;
Je ne puis, car je suis assis.
Au fort, pour eviter riottes [5],
Je crie a toutes gens mercis.

Qu'on leur froisse les quinze côtes
De gros maillets forts et massis,
De plombees [6] et tels pelotes.
Je crie a toutes gens mercis.

---

1. Petits vaniteux.    2. Sans douleur.    3. Rôdeurs, faiseurs
de tapage.    4. Garçonnets et fillettes.    5. En somme, pour
éviter querelles.    6. Bâtons munis d'une boule de plomb.

## BALLADE FINALE

Ici se clôt le testament
Et finit du pauvre Villon.
Venez a son enterrement,
Quand vous orrez le carillon,
Vêtus rouge com vermillon,
Car en amour mourut martyr;
Ce jura il sur son couillon
Quand de ce monde vout [1] partir.

Et je crois bien que pas n'en ment,
Car chassé fut comme un souillon
De ses amours haineusement;
Tant que, d'ici a Roussillon,
Brosse [2] n'y a ne brossillon
Qui n'eût, ce dit il sans mentir,
Un lambeau de son cotillon,
Quand de ce monde vout partir.

Il est ainsi et tellement,
Quand mourut n'avoit qu'un haillon;
Qui plus, en mourant, malement
L'époignait d'Amour l'aiguillon;
Plus agu que le ranguillon [3]
D'un baudrier lui faisoit sentir
(C'est de quoi nous émerveillon)
Quand de ce monde vout partir.

Prince, gent comme émerillon,
Sachez qu'il fit au departir :
Un trait but de vin morillon [4],
Quand de ce monde vout partir.

1. Voulut.    2. Buisson.    3. L'ardillon.    4. Gros rouge.

# POÉSIES DIVERSES

## BALLADE DE BON CONSEIL

Hommes faillis, dépourvus de raison,
Dénaturés et hors de connoissance,
Démis du sens, comblés de déraison,
Fous abusés, pleins de déconnoissance,
Qui procurez [1] contre votre naissance,
Vous soumettants a detestable mort
Par lâcheté, las ! que ne vous remord
L'horribleté qui a honte vous mene ?
Voyez comment maint jeunes homs est mort
Par offenser et prendre autrui demaine [2].

Chacun en soi voie sa méprison [3],
Ne nous vengeons, prenons en patience;
Nous connoissons que ce monde est prison :
Aux vertueux franchis [4] d'impatience
Battre, rouiller [5], pour ce n'est pas science,
Tollir, ravir, piller, meurtrir [6] a tort.
De Dieu ne chaut, trop de verté se tort [7]
Qui en tels faits sa jeunesse demene,
Dont a la fin ses poings doloreux tord
Par offenser et prendre autrui demaine.

1. Travaillez.   2. Le bien d'autrui.   3. Son erreur.
4. Affranchis.   5. Battre.   6. Tuer.   7. Se détourne.

Que vaut piper, flatter, rire en traison,
Quêter, mentir, affermer sans fiance,
Farcer, tromper, artifier [1] poison,
Vivre en peché, dormir en défiance
De son prouchain sans avoir confiance?
Pour ce conclus : de bien faisons effort.
Reprenons cœur, ayons en Dieu confort,
Nous n'avons jour certain en la semaine;
De nos maux ont nos parents le ressort [2]
Par offenser et prendre autrui demaine.

Vivons en paix, exterminons discord;
Ieunes et vieux, soyons tous d'un accord :
La loi le veut, l'apôtre le ramene
Licitement en l'epître romaine;
Ordre nous faut, état ou aucun port [3].
Notons ces points; ne laissons le vrai port
Par offenser et prendre autrui demaine.

---

## BALLADE DES PROVERBES

Tant gratte chevre que mal gît,
Tant va le pot a l'eau qu'il brise,
Tant chauffe on le fer qu'il rougit,
Tant le maille on qu'il se debrise,
Tant vaut l'homme comme on le prise,
Tant s'élogne il qu'il n'en souvient,
Tant mauvais est qu'on le déprise,
Tant crie l'on Noel qu'il vient.

Tant parle on qu'on se contredit,
Tant vaut bon bruit que grace acquise,
Tant promet on qu'on s'en dédit,
Tant prie on que chose est acquise,
Tant plus est chere et plus est quise [1],
Tant la quiert on qu'on y parvient,
Tant plus commune et moins requise,
Tant crie l'on Noel qu'il vient.

Tant aime on chien qu'on le nourrit,
Tant court chanson qu'elle est apprise,
Tant garde on fruit qu'il se pourrit,
Tant bat on place qu'elle est prise,
Tant tarde on que faut l'entreprise,
Tant se hâte on que mal advient,
Tant embrasse on que chet la prise,
Tant crie l'on Noel qu'il vient.

1. Cherchée.

Tant raille on que plus on en rit,
Tant dépent on qu'on n'a chemise,
Tant est on franc [1] que tout y frit,
Tant vaut « Tiens ! » que chose promise,
Tant aime on Dieu qu'on suit l'Eglise,
Tant donne on qu'emprunter convient,
Tant tourne vent qu'il chet en bise,
Tant crie l'on Noel qu'il vient.

Prince, tant vit fol qu'il s'avise,
Tant va il qu'après il revient,
Tant le mate on qu'il se ravise,
Tant crie l'on Noel qu'il vient.

1. Exempt de payer.

## BALLADE DES MENUS PROPOS

Je connois bien mouches en lait,
Je connois a la robe l'homme,
Je connois le beau temps du laid,
Je connois au pommier la pomme,
Je connois l'arbre a voir la gomme,
Je connois quand tout est de mêmes,
Je connois qui besogne ou chomme,
Je connois tout, fors que moi mêmes.

Je connois pourpoint au collet,
Je connois le moine a la gonne,
Je connois le maître au valet,
Je connois au voile la nonne,
Je connois quand pipeur jargonne,
Je connois fous nourris de cremes,
Je connois le vin a la tonne,
Je connois tout, fors que moi mêmes.

Je connois cheval et mulet,
Je connois leur charge et leur somme,
Je connois Biatris et Belet [1],
Je connois jet [2] qui nombre et somme,
Je connois vision et somme,
Je connois la faute des Boemes,
Je connois le povoir de Rome,
Je connois tout, fors que moi mêmes.

Prince, je connois tout en somme,
Je connois coulourés et blêmes,
Je connois mort qui tout consomme,
Je connois tout, fors que moi mêmes.

---

1. Isabel.    2. Jeton.

## BALLADE DES CONTRE-VÉRITÉS

Il n'est soin que quand on a faim
Ne service que d'ennemi,
Ne mâcher qu'un botel de fain [1],
Ne fort guet que d'homme endormi,
Ne clemence que felonie,
N'assurance que de peureux,
Ne foi que d'homme qui renie,
Ne bien conseillé qu'amoureux.

Il n'est engendrement qu'en boin [2]
Ne bon bruit [3] que d'homme banni,
Ne ris qu'après un coup de poing,
Ne lots que dettes mettre en ni [4],
Ne vraie amour qu'en flatterie,
N'encontre [5] que de malheureux,
Ne vrai rapport que menterie,
Ne bien conseillé qu'amoureux.

Ne tel repos que vivre en soin,
N'honneur porter que dire : « Fi ! »,
Ne soi vanter que de faux coin,
Ne santé que d'homme bouffi,
Ne haut vouloir que couardie,
Ne conseil que de furieux,
Ne douceur qu'en femme étourdie,
Ne bien conseillé qu'amoureux.

Voulez vous que verté vous die ?
Il n'est jouer qu'en maladie,
Lettre vraie qu'en tragedie [6],
Lâche homme que chevalereux,
Orrible son que melodie,
Ne bien conseillé qu'amoureux.

1. Foin.     2. Bain.     3. Bon renom.     4. Nier ses dettes.
5. Bonne rencontre (D. P.).     6. Il n'est de vérité littéraire que
dans la fable tragique (D. P.).

# BALLADE
## CONTRE LES ENNEMIS
### DE LA FRANCE

Rencontré soit de bêtes feu jetants,
Que Jason vit, querant la Toison d'or;
Ou transmué d'homme en bête sept ans
Ainsi que fut Nabugodonosor;
Ou perte il ait et guerre aussi vilaine
Que les Troyens pour la prinse d'Helene;
Ou avalé soit avec Tantalus
Et Proserpine aux infernaux palus;
Ou plus que Job soit en grieve souffrance,
Tenant prison en la tour Dedalus,
Qui mal voudroit au royaume de France!

Quatre mois soit en un vivier chantants,
La tête au fond, ainsi que le butor;
Ou au grand Turc vendu deniers comptants,
Pour être mis au harnois comme un tor;
Ou trente ans soit, comme la Magdelaine,
Sans drap vêtir de linge ne de laine;
Ou soit noyé comme fut Narcissus,
Ou aux cheveux, comme Absalon, pendus,
Ou, comme fut Judas, par Desperance;
Ou puît perir comme Simon Magus,
Qui mal voudroit au royaume de France!

D'Octovien puît revenir le temps :
C'est qu'on lui coule au ventre son tresor;
Ou qu'il soit mis entre meules flottants
En un moulin, comme fut saint Victor;
Ou transglouti en la mer, sans haleine,
Pis que Jonas ou corps de la baleine;
Ou soit banni de la clarté Phebus,
Des biens Juno et du soulas Venus,
Et du dieu Mars soit pugni a outrance,
Ainsi que fut roi Sardanapalus,
Qui mal voudroit au royaume de France !

Prince, porté soit des serfs Eolus
En la forêt ou domine Glaucus,
Ou privé soit de paix et d'esperance :
Car digne n'est de posseder vertus,
Qui mal voudroit au royaume de France !

# RONDEAU

Jenin l'Avenu
Va t'en aux étuves,
Et toi la venu,
Jenin l'Avenu,
Si te lave nu
Et te baigne es cuves.
Jenin l'Avenu,
Va t'en aux étuves.

## BALLADE
## DU CONCOURS DE BLOIS

Je meurs de seuf auprès de la fontaine,
Chaud comme feu, et tremble dent a dent;
En mon pays suis en terre lointaine;
Lez un brasier frissonne tout ardent;
Nu comme un ver, vêtu en president,
Je ris en pleurs et attends sans espoir;
Confort reprends en triste désespoir;
Je m'éjouis et n'ai plaisir aucun;
Puissant je suis sans force et sans povoir,
Bien recueilli [1], debouté [2] de chacun.

Rien ne m'est sûr que la chose incertaine;
Obscur, fors ce qui est tout evident;
Doute ne fais, fors en chose certaine;
Science tiens a soudain accident;
Je gagne tout et demeure perdant;
Au point du jour dis : « Dieu vous donne bon soir! »
Gisant envers, j'ai grand paour de choir;
J'ai bien de quoi et si n'en ai pas un;
Echoite [3] attends et d'homme ne suis hoir,
Bien recueilli, debouté de chacun.

1. Accueilli.     2. Repoussé.     3. Héritage.

De rien n'ai soin, si mets toute ma peine
D'acquerir biens et n'y suis pretendant;
Qui mieux me dit, c'est cil qui plus m'ataine [1],
Et qui plus vrai, lors plus me va bourdant [2];
Mon ami est, qui me fait entendant
D'un cygne blanc que c'est un corbeau noir;
Et qui me nuit, crois qu'il m'aide a povoir [3];
Bourde, verté, au jour d'hui m'est tout un;
Je retiens tout, rien ne sait concevoir,
Bien recueilli, debouté de chacun.

Prince clement, or vous plaise savoir
Que j'entends mout et n'ai sens ne savoir :
Partial suis, a toutes lois commun [4].
Que sais je plus ? Quoi ? Les gages ravoir,
Bien recueilli, debouté de chacun.

# LE DIT DE LA NAISSANCE
# DE MARIE D'ORLÉANS

*Jam nova progenies celo demittitur alto.*
VIRGILE, *Eg.* IV, 7.

O louee conception
Envoyee ça jus [1] des cieux,
Du noble lys digne scion,
Don de Jesus tres precieux,
MARIE, nom tres gracieux,
Font de pitié, source de grace,
La joie, confort de mes yeux,
Qui notre paix bâtit et brasse!

La paix, c'est assavoir, des riches,
Des pauvres le sustentement,
Les rebours des felons et chiches,
Tres necessaire enfantement,
Conçu, porté honnêtement,
Hors le peché originel,
Que dire je puis saintement
Souvrain bien de Dieu eternel!

Nom recouvré, joie de peuple,
Confort des bons, des maux retraite;
Du doux seigneur premiere et seule
Fille, de son clair sang extraite,
Du dêtre côté Clovis traite [2];
Glorieuse image en tous faits,
Ou haut ciel creee et pourtraite
Pour éjouir et donner paix!

1. Ici-bas.    2. Tirée.

En l'amour et crainte de Dieu
Es nobles flancs Cesar conçue,
Des petits et grands en tout lieu
A tres grande joie reçue,
De l'amour Dieu traite, tissue,
Pour les discordés rallier
Et aux enclos [1] donner issue,
Leurs liens et fers délier.

Aucunes gens, qui bien peu sentent,
Nourris en simplesse et confits,
Contre le vouloir Dieu attentent,
Par ignorance déconfits,
Desirants que fussiez un fils;
Mais qu'ainsi soit, ainsi m'aît Dieux [2],
Je croi que ce soit grands proufits.
Raison : Dieu fait tout pour le mieux.

Du Psalmiste je prends les dits :
*Delectasti me, Domine,*
*In factura tua* [3], si dis :
Noble enfant, de bonne heure né,
A toute douceur destiné,
Manne du ciel, celeste don,
De tous bienfaits le guerdonné [4]
Et de nos maux le vrai pardon !

1. Prisonniers.　　2. Que Dieu m'assiste.　　3. Seigneur, vous m'avez comblé de joie en me montrant l'œuvre de vos mains. 4. Comblé.

Combien que j'ai lu en un dit :
*Inimicum putes* [1], y a,
*Qui te presentem laudabit*,
Toutefois, non obstant cela,
Oncques vrai homme ne cela
En son courage [2] aucun grand bien,
Qui ne le montrât çà et là :
On doit dire du bien le bien.

Saint Jean Baptiste ainsi le fit,
Quand l'Agnel de Dieu décela [3].
En ce faisant pas ne méfit,
Dont sa voix es tourbes [4] vola ;
De quoi saint Andry Dieu loua,
Qui de lui ci ne savoit rien,
Et au Fils de Dieu s'aloua [5] :
On doit dire du bien le bien.

Envoiee de Jesus Christ,
Rappelez çà jus par deçà
Les pauvres que Rigueur proscrit
Et que Fortune bétourna.
Si sais bien comment il m'en va :
De Dieu, de vous, vie je tien.
Benoîte soit qui vous porta !
On doit dire du bien le bien.

Ci, devant Dieu, fais connoissance
Que creature fusse morte,
Ne fût votre douce naissance,
En charité puissant et forte,
Qui ressuscite et reconforte
Ce que Mort avoit prins pour sien ;
Votre presence me conforte :
On doit dire du bien le bien.

---

1. Considérez comme un ennemi celui qui vous louera en votre présence.    2. Cœur.    3. Découvrit.    4. Parmi les peuples. 5. Se mit au service.

Ci vous rends toute obeissance,
A ce faire Raison m'exhorte,
De toute ma pauvre puissance;
Plus n'est deuil qui me déconforte,
N'autre ennui de quelconque sorte.
Vôtre je suis et non plus mien;
A ce Droit et Devoir m'enhorte :
On doit dire du bien le bien.

O grace et pitié tres immense,
L'entree de paix et la porte,
Somme de benigne clemence
Qui nos fautes tout [1] et supporte,
Se de vous louer me deporte [2],
Ingrat suis, et je le maintien,
Dont en ce refrain me transporte [3] :
On doit dire du bien le bien.

Princesse, ce los je vous porte,
Que sans vous je ne fusse rien.
A vous et a tous m'en rapporte :
On doit dire du bien le bien.

1. Enlève.    2. Détourne.    3. Je revins à ce refrain.

Œuvre de Dieu, digne, louee
Autant que nulle creature,
De tous biens et vertus douee,
Tant d'esperit que de nature,
Que de ceux qu'on dit d'aventure,
Plus que rubis noble ou balais;
Selon de Caton l'écriture :
*Patrem insequitur proles* [1],

Port assûré, maintien rassis,
Plus que ne peut nature humaine,
Et eussiez des ans trente six;
Enfance en rien ne vous demene.
Que jour ne le die et semaine,
Je ne sais qui le me défend.
A ce propos un dit ramene :
De sage mere sage enfant.

Dont resume ce que j'ai dit :
*Nova progenies* [2] *celo*,
Car c'est du poete le dit,
*Jamjam demittitur alto* [3].
Sage Cassandre, belle Echo,
Digne Judith, caste Lucrece,
Je vous connois, noble Dido,
A [4] ma seule dame et maîtresse.

En priant Dieu, digne pucelle,
Qu'il vous doint longue et bonne vie;
Qui vous aime, ma damoiselle,
Ja ne coure [5] sur lui envie.
Entiere dame et assouvie [6],
J'espoir de vous servir ainçois [7],
Certes, se Dieu plaît, que devie [8]
Votre pauvre écolier François.

---

1. L'enfant suit les traces de son père.    2. Une race nouvelle.
3. Nous est envoyée du haut des cieux.    4. Pour.    5. Que jamais
ne l'assaille.    6. Intègre et accomplie.    7. Avant.    8. Que
meure.

## ÉPITRE A MES AMIS

Ayez pitié, ayez pitié de moi,
A tout le moins, si vous plaît, mes amis !
En fosse gis, non pas sous houx ne mai [1],
En cet exil ouquel je suis transmis
Par Fortune, comme Dieu l'a permis.
Filles, amants, jeunes gens et nouveaux,
Danseurs, sauteurs, faisants les pieds de veaux [2],
Vifs comme dards, agus comme aguillon,
Gousiers tintants clair comme cascaveaux [3],
Le laisserez la, le pauvre Villon ?

Chantres chantants a plaisance, sans loi,
Galants, riants, plaisants en faits et dits,
Courants, allants, francs de faux or, d'aloi [4],
Gens d'esperit, un petit étourdis,
Trop demourez, car il meurt entandis [5],
Faiseurs de lais, de motets et rondeaux,
Quand mort sera, vous lui ferez chaudeaux !
Ou gît, il n'entre éclair ne tourbillon :
De murs épois on lui a fait bandeaux.
Le laisserez la, le pauvre Villon ?

1. Je ne suis pas à la fête.   2. Sorte de danse.   3. Grelots.
4. Dénués d'or vrai ou faux.   5. Pendant ce temps-là.

Venez le voir en ce piteux arroi,
Nobles hommes, francs de quart et de dix [1],
Qui ne tenez d'empereur ne de roi,
Mais seulement de Dieu de paradis;
Jeuner lui faut dimenches et merdis,
Dont les dents a plus longues que râteaux;
Après pain sec, non pas après gâteaux,
En ses boyaux verse eau a gros bouillon;
Bas en terre, table n'a ne tréteaux.
Le laisserez la, le pauvre Villon?

Princes nommés, anciens, jouvenceaux,
Impetrez moi graces et royaux sceaux,
Et me montez en quelque corbillon.
Ainsi le font, l'un a l'autre, pourceaux,
Car, ou l'un brait, ils fuient a monceaux [2].
Le laisserez la, le pauvre Villon?

---

1. Exempts du droit de quart et de dîme.     2. En tas.

# REQUÊTE A MONSEIGNEUR
## DE BOURBON

Le mien seigneur et prince redouté
Fleuron de lys, royale geniture,
François Villon, que Travail a dompté
A coups orbes [1], par force de bature,
Vous supplie par cette humble écriture
Que lui fassiez quelque gracieux prêt.
De s'obliger en toutes cours est prêt,
Si ne doutez que bien ne vous contente :
Sans y avoir dommage n'interêt,
Vous n'y perdrez seulement que l'attente.

A prince n'a un denier emprunté,
Fors a vous seul, votre humble creature.
De six écus que lui avez prêté,
Cela pieça il mit en nourriture,
Tout se paiera ensemble, c'est droiture,
Mais ce sera legierement et prêt [2];
Car se du gland rencontre en la forêt
D'entour Patay, et chataignes ont vente,
Payé serez sans delai ni arrêt :
Vous n'y perdrez seulement que l'attente.

---

1. Avec contusions.  2. Vite et sans tarder.

Se je pusse vendre de ma santé
A un Lombard, usurier par nature,
Faute d'argent m'a si fort enchanté
Qu'en prendroie, ce cuide, l'aventure.
Argent ne pends a gipon [1] n'a ceinture;
Beau sire Dieu ! je m'ébahis que c'est
Que devant moi croix [2] ne se comparaît,
Si non de bois ou pierre, que ne mente [3];
Mais s'une fois la vraie m'apparaît,
Vous n'y perdrez seulement que l'attente.

Prince du lys, qui a tout bien complaît,
Que cuidez vous comment il me déplaît [4],
Quand je ne puis venir a mon entente [5] ?
Bien m'entendez; aidez moi, s'il vous plaît :
Vous n'y perdrez seulement que l'attente.

AU DOS DE LA LETTRE.

Allez, lettres, faites un saut;
Combien que vous n'ayez pied ni langue,
Remontrez en votre harangue
Que faute d'argent si m'assaut.

---

1. Sorte de gilet.      2. Pièce de monnaie.      3. Si je ne mens.
4. Si vous saviez combien il m'est pénible.      5. Intention.

# LE DÉBAT DU CŒUR
## ET DU CORPS DE VILLON

Qu'est ce que j'oi ? — Ce suis je ! — Qui ? — Ton cœur
Qui ne tient mais qu'a un petit filet :
Force n'ai plus, substance ne liqueur,
Quand je te vois retrait ainsi seulet
Com pauvre chien tapi en reculet.
— Pour quoi est ce ? — Pour ta folle plaisance.
— Que t'en chaut-il ? — J'en ai la déplaisance.
— Laisse m'en paix. — Pour quoi ? — J'y penserai.
— Quand sera ce ? — Quand serai hors d'enfance.
— Plus ne t'en dis. — Et je m'en passerai.

— Que penses tu ? — Etre homme de valeur.
— Tu as trente ans : c'est l'âge d'un mulet;
Est ce enfance ? — Nenni. — C'est donc foleur
Qui te saisit ? — Par ou ? Par le collet ?                    [en lait;
— Rien ne connois. — Si fais. — Quoi ? — Mouche
L'un est blanc, l'autre est noir, c'est la distance [1].
— Est ce donc tout ? — Que veux tu que je tance ?
Se n'est assez, je recommencerai.
— Tu es perdu ! — J'y mettrai resistance.
— Plus ne t'en dis. — Et je m'en passerai.

1. Différence.

— J'en ai le deuil; toi, le mal et douleur.
Se fusses un pauvre idiot et folet,
Encore eusses de t'excuser couleur :
Si n'as tu soin, tout t'est un, bel ou laid.
Ou la tête as plus dure qu'un jalet [1],
Ou mieux te plaît qu'honneur cette méchance!
Que répondras a cette consequence?
— J'en serai hors quand je trépasserai.
— Dieu, quel confort! — Quelle sage éloquence!
— Plus ne t'en dis. — Et je m'en passerai.

— Dont vient ce mal? — Il vient de mon malheur.
Quand Saturne me fit mon fardelet,
Ces maux y mit, je le croi. — C'est foleur :
Son seigneur es, et te tiens son varlet.
Voi que Salmon écrit en son rolet;
« Homme sage, ce dit il, a puissance
Sur planetes et sur leur influence. »
— Je n'en crois rien : tel qu'il m'ont fait serai.
— Que dis tu? — Da! certes, c'est ma creance.
— Plus ne t'en dis. — Et je m'en passerai.

— Veux-tu vivre? — Dieu m'en doint la puissance!
— Il te faut... — Quoi? — Remords de conscience,
Lire sans fin. — En quoi? — Lire en science,
Laisser les fous! — Bien j'y aviserai.
— Or le retiens! — J'en ai bien souvenance.
— N'attends pas tant que tourne a déplaisance.
Plus ne t'en dis. — Et je m'en passerai.

---

1. Galet.

## BALLADE DE LA FORTUNE

Fortune fus par clercs jadis nommee,
Que toi, François, crie et nomme murtriere,
Qui n'es homme d'aucune renommee.
Meilleur que toi fais user en plâtriere,
Par pauvreté, et fouïr en carriere;
S'a honte vis, te dois tu doncques plaindre?
Tu n'es pas seul; si ne te dois complaindre.
Regarde et voi de mes faits de jadis,
Maints vaillants homs par moi morts et roidis;
Et n'es, ce sais, envers eux un souillon.
Apaise toi, et mets fin en tes dits.
Par mon conseil prends tout en gré, Villon!

Contre grands rois me suis bien animee,
Le temps qui est passé ça en arriere :
Priam occis et toute son armee,
Ne lui valut tour, donjon ne barriere;
Et Hannibal demoura il derriere?
En Carthage par Mort le fis atteindre;
Et Scipion l'Afriquan fis éteindre;
Jules Cesar au Senat je vendis;
En Egypte Pompee je perdis;
En mer noyai Jason en un bouillon;
Et une fois Rome et Romains ardis [1].
Par mon conseil prends tout en gré, Villon!

1. Incendiai.

Alissandre, qui tant fit de hemee,
Qui voulut voir l'étoile poussiniere,
Sa personne par moi fut envlimee[1];
Alphasar roi, en champ, sur sa banniere
Rué jus mort. Cela est ma maniere,
Ainsi l'ai fait, ainsi le maintiendrai :
Autre cause ne raison n'en rendrai.
Holofernes l'idolâtre maudis,
Qu'occit Judith (et dormoit entandis!)
De son poignard, dedans son pavillon;
Absalon, quoi? en fuyant le pendis.
Par mon conseil prends tout en gré, Villon!

Pour ce, François, écoute que te dis :
Se rien pusse sans Dieu de Paradis,
A toi n'autre ne demourroit haillon,
Car pour un mal, lors j'en feroie dix.
Par mon conseil prends tout en gré, Villon!

## QUATRAIN

Je suis François, dont il me poise,
Né de Paris emprès Pontoise,
Et de la corde d'une toise
Saura mon col que mon cul poise.

1. Empoisonnée.

# L'ÉPITAPHE DE VILLON

### EN FORME DE BALLADE

Freres humains qui après nous vivez,
N'ayez les cœurs contre nous endurcis,
Car, se pitié de nous pauvres avez,
Dieu en aura plus tôt de vous mercis.
Vous nous voyez ci attachés cinq, six :
Quant de la chair que trop avons nourrie,
Elle est pieça [1] devoree et pourrie,
Et nous, les os, devenons cendre et poudre.
De notre mal personne ne s'en rie ;
Mais priez Dieu que tous nous veuille absoudre !

Se freres vous clamons, pas n'en devez
Avoir dédain, quoi que fumes occis
Par justice. Toutefois, vous savez
Que tous hommes n'ont pas bon sens rassis ;
Excusez nous, puis que sommes transis [2],
Envers le fils de la Vierge Marie,
Que sa grace ne soit pour nous tarie,
Nous preservant de l'infernale foudre.
Nous sommes morts, ame ne nous harie [3],
Mais priez Dieu que tous nous veuille absoudre !

1. Depuis longtemps.     2. Trépassés.     3. Tourmente.

La pluie nous a bués [1] et lavés,
Et le soleil dessechés et noircis;
Pies, corbeaux, nous ont les yeux cavés,
Et arraché la barbe et les sourcils.
Jamais nul temps nous ne sommes assis;
Puis ça, puis la, comme le vent varie,
A son plaisir sans cesser nous charrie,
Plus becquetés d'oiseaux que dés a coudre.
Ne soyez donc de notre confrerie;
Mais priez Dieu que tous nous veuille absoudre!

Prince Jesus, qui sur tous a maîtrie,
Garde qu'Enfer n'ait de nous seigneurie :
A lui n'ayons que faire ne que soudre [2].
Hommes, ici n'a point de moquerie;
Mais priez Dieu que tous nous veuille absoudre!

## LOUANGE ET REQUETE
## A LA COUR DE PARLEMENT

### EN FORME DE BALLADE

Tous mes cinq sens : yeux, oreilles et bouche,
Le nez, et vous, le sensitif [1] aussi,
Tous mes membres ou il n'y a reprouche,
En son endroit un chacun die ainsi :
« Souvraine Cour, par qui sommes ici,
Vous nous avez gardé de déconfire [2].
Or la langue seule ne peut souffire
A vous rendre suffisantes louanges;
Si parlons tous, fille du Souvrain Sire,
Mere des bons et sœur des benoits anges ! »

Cœur, fendez vous, ou percez d'une broche,
Et ne soyez, au moins, plus endurci
Qu'au desert fut la forte bise roche
Dont le peuple des Juifs fut adouci [3] :
Fondez larmes et venez a merci;
Comme humble cœur qui tendrement soupire,
Louez la Cour, conjointe au Saint Empire,
L'heur des François, le confort des étranges,
Procreee lassus ou ciel empire [4],
Mere des bons et sœur des benoits anges !

1. La sensibilité.   2. D'une ruine totale.   3. Calmé.
4. Empyrée.

Et vous, mes dents, chacune si s'éloche [1];
Saillez avant, rendez toutes merci,
Plus hautement qu'orgue, trompe, ne cloche,
Et de mâcher n'ayez ores souci;
Considerez que je fusse transi,
Foie, poumon et rate, qui [2] respire;
Et vous, mon corps, qui vil êtes et pire
Qu'ours ne pourceau qui fait son nid es fanges,
Louez la Cour, avant qu'il vous empire,
Mere des bons et sœur des benoits anges!

Prince, trois jours ne veuillez m'écondire,
Pour moi pourvoir et aux miens adieu dire;
Sans eux argent je n'ai, ici n'aux changes,
Cour triomphant, *fiat* [3], sans me dédire,
Mere des bons et sœur des benoits anges!

1. S'ébranle.    2. Qui maintenant.    3. Qu'il soit accordé.

# QUESTION AU CLERC DU GUICHET
## OU
## BALLADE DE L'APPEL

Que vous semble de mon appel,
Garnier? Fis je sens ou folie?
Toute bête garde sa pel;
Qui la contraint, efforce ou lie,
S'elle peut, elle se délie.
Quand donc par plaisir volontaire
Chanté me fut cette homelie,
Etoit il lors temps de moi taire?

Se fusse des hoirs Hue Capel
Qui fut extrait de boucherie,
On ne m'eût, parmi ce drapel [1],
Fait boire en cette écorcherie [2].
Vous entendez bien joncherie [3]?
Mais quand cette peine arbitraire
On me jugea par tricherie,
Etoit il lors temps de moi taire?

1. Linge.    2. Ce lieu de torture.    3. Tromperie.

Cuidiez vous que sous mon capel
N'y eût tant de philosophie
Comme de dire : « J'en appel ? »
Si avoit, je vous certifie,
Combien que point trop ne m'y fie.
Quand on me dit, present notaire :
« Pendu serez ! » je vous affie [1],
Etoit il lors temps de moi taire ?

Prince, se j'eusse eu la pepie,
Pieça je fusse ou est Clotaire,
Aux champs debout comme une épie [2],
Etoit il lors temps de moi taire ?

1. Affirme.      2. Un épouvantail.

# LE JARGON ET JOBELIN [1]

1. Argot de l'époque.

# BALLADE I

A Parouart [1], la grant mathe gaudie [2],
Ou accolés [3] sont duppes et noircis,
Et par les anges [4], suivans la paillardie,
    Sont greffis et prins cinq ou six;
La sont beffleurs [5] au plus haut bout assis
Pour le evaige, et bien haut mis au vent.
Eschequez moy tost ces coffres massis [6] :
Car vendengeurs [7], des ances [8] circoncis,
    S'en brouent [9] du tout a neant.
    Eschec, eschec pour le fardis ! [10]

Brouez moy [11] sur ces gours passants [12],
Avisez moy bien tost le blanc [13],
Et pietonnez [14] au large sur les champs
Qu'au mariage [15] ne soiez sur le banc
    Plus qu'un sac de platre n'est blanc.
    Si gruppés estes des carieux,
    Rebignez [16] moy ces enterveux
    Et leur monstrez des trois le bris
    Qu'enclaus ne soiez deux a deux :
    Eschec, eschec pour le fardis !

Plantez aux hurmes vos picons,
De paour des bisans si très durs,
Et aussi d'estre sur les joncs,
Enmalés [17] en coffre, en gros murs;
    Escharicez, ne soiez durs,
Que le grand Can [18] ne vous fasse essorer.
    Songears ne soiez pour dorer [19],
    Et babignez [20] tousjours aux huis
    Des sires [21] pour les desbouser [22] :
    Eschec, eschec pour le fardis !

---

1. Paris.    2. Ville joyeuse.    3. Pendus.    4. Sergents.
5. Faiseurs de dupes.    6. Evitez ces prisons aux murs épais.
7. Filous.    8. Oreilles.    9. Détalent.    10. Gare à la corde.
11. Allez.    12. Ces gourdes qui passent.    13. Niais.    14. Marchez.    15. A la pendaison.    16. Reluquez.    17. Emballés.
18. Prévôt.    19. Mentir.    20. Babillez.    21. Poires.    22. Détrousser.

Prince froart [1], dit des arques [2] petis,
L'un des sires si ne soit endormis.
Luez au bec [3] que ne soiez greffis [4],
    Et que vous ens n'ayez du pis :
    Eschec, eschec pour le fardis.

## BALLADE II

Coquillars, arvans a Ruel,
Menys [5] vous chante que gardez
Que n'y laissez et corps et pel,
Comme fist Collin l'Escailler.
Devant la roe a babiller.
Il babigna pour son salut !
Pas ne sçavoit oignons peler,
Dont l'amboureux [6] luy rompt le suc [7].

Changez vos andosses [8] souvent,
Et tirez vous tout droit au temple ;
Et eschequez tost, en brouant [9],
Qu'en la jarte [10] ne soiez emple.
Montigny y fut par exemple
Bien attaché au halle grup [11],
Et y jargonnast il le tremple,
Dont l'amboureux luy rompt le suc.

Gailleurs [12], bien faitz en piperie,
Pour ruer les ninars au loing,
A l'assaut tost, sans suerie [13] !
Que les mignons ne soient au gaing
Farcis d'ung plombeïs a coing,
Qui griffe au gard le duc,
Et de la dure si très loin
Dont l'amboureux luy rompt le suc.

Prince, erriere de Ruel
Et n'eussiez vous denier ne pluc [14],
Qu'au giffle [15] ne laissez la pel
Pour l'amboureux qui rompt le suc.

---

1. Tricheur.    2. Dés.    3. Regardez.    4. Saisis.    5. Moi.
6. Bourreau.    7. Cou.    8. Vêtements.    9. Sauvez-vous en
détalant.    10. Robe.    11. A la potence.    12. Filous.    13. Sans
tuer.    14. Butin.    15. Gibet.

# BALLADE III

Spelicans
Qui en tous temps
Avancez dedans le pogois
Gourde piarde [1]
Et sur la tarde
Desbousez [2] les povres niais;
Et pour soustenir vos pois
Les duppes sont privés de caire [3],
Sans faire haire
Ne hault braire,
Mais plantés ils sont comme joncs
Pour les sires [4] qui sont si longs [5].

Souvent aux arques [6]
A leurs marques [7]
Se laissent toujours desbouser [8]
Pour ruer [9]
Et enterver [10];
Pour leur contre [11], que lors faisons
La fee les arques vous respons,
Et rue deux coups ou trois
Aux gallois.
Deux ou trois
Nineront trestout aux fronts
Pour les sires qui sont si longs.

Pour ce, Benards [12],
Coquillars
Rebecquez vous de la montjoye
Qui desvoye
Vostre proye,
Et vous fera du tout brouer [13],

---

1. Bon vin.    2. Détroussez.    3. D'argent.    4. Niais.
5. Habiles.    6. Dés.    7. Par leurs mômes.    8. Dépouiller.
9. Assaillir.    10. Entendre le jargon.    11. Compagnon.
12. Lourdauds.    13. Détaler.

Par joncher et enterver [1]
Qui est aux pijons bien cher
    Pour rifler
    Et placquer
Les angels de mal tous rons
Pour les sires qui sont si longs.

    De paour des hurmes
    Et des grumes,
Rasurez vous en droguerie
    Et faierie,
Et ne soyez plus sur les joncs [2]
Pour les sires qui sont si longs.


# BALLADE  IV


Saupiquez, frouans des gours arques
Pour desbouser beaux sires dieux [3],
Allez ailleurs planter vos marques !
Benards, vous estes rouges gueux [4].
Berart s'en va chez les joncheux,
Et babigne qu'il a plongis,
Mes freres, ne soiez embraieux,
Et gardez des coffres massis [5] !

Si gruppés estes, desgruppez [6]
De ces angels [7] si graveliffes [8] :
Incontinent manteaux chappés
Pour l'embroue ferez eclipses ;
De vos farges [9] serez besifles,
Tout debout, et non pas assis.
Pour ce, gardez vous d'estre griffes
Dedans ces gros coffres massis.


1. Tromper et deviner.    2. Sur la paille humide.    3. Pièces
de monnaie.    4. Des malins.    5. Gardez-vous des épais cachots.
6. Echappez.    7. A ces sergents.    8. Crampons.    9. Fers.

Niais qui seront attrappés,
Bien tost s'en broueront au halle [1] :
Plus n'y vaut que tost ne happez.
La baudrouse de quatre talle
Destirer fait la hirenalle [2],
Quand le gosier est assegis [3];
Et si hurque la pirenalle,
Au saillir des coffres massis.

Prince des gayeux [4], les sarpes,
Que vos contres [5] ne soient greffis;
Pour doubte de frouer aux arques [6],
Gardez vous des coffres massis.

## BALLADE V

Joncheurs jonchans en joncherie,
Rebignez bien ou joncherez,
Qu'Ostac n'embroue vostre arerie
Ou accolés [7] sont vos ainsnez.
Poussez de la quille et brouez,
Car tost vous seriez roupieux.
Eschec qu'accolés ne soiez
Par la poë du marieux [8]!

Bendez vous contre la faerie
Quant ils vous auront desbousés,
N'estant a juc la rifflerie
Des anges et leurs assosés [9].
Berard, se vous puist, renversez;
Se greffir laissez vos carrieux,
La dure [10] bien tost renversez
Pour la poë du marieux.

---

1. Marcheront au gibet.   2. Poire d'angoisse.   3. Assiégé.
4. Filous.   5. Compagnons.   6. Tricher aux dés.   7. Pendus.   8. Par la patte du bourreau.   9. Des flics et de leurs
associés.   10. Terre.

Entervez [1] a la floterie;
Chantez leur trois, sans point songer,
Qu'en astes ne soiéz en suerie [2]
Blanchir vos cuirs et essurger.
Bignez la mathe, sans targer [3],
Que vos ans n'en soient roupieux !
Plantez ailleurs contre assieger
Pour la poë du marieux.

Prince, benard en esterie,
Querez couplaus pour l'amboureux,
Et, autour de vos ys, luezie
Pour la poë du marieux.

## BALLADE VI

Contres [4] de la gaudisserie,
Entervez [5] tousjours blanc pour bis,
Et frappez, en la hurterie [6],
Sur les beaux sires, bas assis.
Ruez des feuilles [7] cinq ou six,
Et vous gardez bien de la roe
Qui aux sires plante du gris
En leur faisant faire la moe.

La gifle gardez de rurie,
Que vos corps n'en aient du pis,
Et que point a la turterie
En la hurme ne soiez assis.
Prenez du blanc, laissez le bis,
Ruez par les fondes la poe,
Car le bizac, a voir advis,
Fait aux beroards faire la moe.

1. Comprenez.      2. Tuerie.      3. Fuyez la ville sans tarder.
4. Compagnons.     5. Entendez.     6. Bagarre.     7. Bourses.

Plantez de la mouargie,
Puis ça, puis la, pour le hurtis,
Et n'espargnez point la flogie
Des doux dieux sur les patis.
Vos ens soient assez hardis
Pour leur avancer la droe;
Mais soient memoradis [1]
Qu'on ne vous face faire la moe.

Prince, qui n'a bauderie
Pour eschever de la soe,
Danger de grup en arderie
Fait aux sires faire la moe.

## BALLADE VII

En Parouart, la grant mathe gaudie [2]
Ou acollez sont caulx et agarciz [3],
Nopces ce sont, c'est belle melodie.
La sont beffleurs [4], au plus haut bout assis,
Et vendengeurs, des ances circoncis [5],
Comme servis sur ce jonc gracieux,
Dance plaisant et mès delicieux;
Car Coquillart n'y remaint grant espace [6]
Que vueille ou non, ne soit fait des sieurs [7] :
Mais le pis est mariage [8] : m'en passe !

Rebourcez vous [9], quoy que l'en vous en die,
Car on aura beaucop de vous mercis.
Rente n'y vaut ne plus qu'en Lombardie.
Eschec, eschec, pour ces coffres massis !
De gros barreaux de fer sont les chassis.
Posce a Gaultier [10] se serez un peu mieux.
Plantez picquons [11] sur ces beaux sires dieux;

1. Qu'il leur souvienne.    2. A Paris, la grand-ville joyeuse.
3. Cuits et mangés des corbeaux.    4. Filous.    5. Voleurs aux
oreilles coupées.    6. N'y reste pas longtemps (à Paris).    7. Ne
soit pris.    8. La pendaison.    9. Amendez-vous.    10. Demande à Bib.    11. Mettez le grappin.

Luez au bec [1] que roastre ne passe,
Et m'abatez de ces grains [2] neufs et vieux.
Mais le pis est mariage : m'en passe !

Que faites vous ? Toute menestrandie [3] ?
Antonnez poix et marques six a six [4],
Et les plantez au bien, en paillardie,
Sur la sorne [5] que sires sont rassis.
Sornillés moy ces georgets si farcis [6],
Puis eschecquez sur gours passans tous neufs [7].
De seyme oyez, soiez beaucoup breneux [8],
Plantez vos huys jusques elle rappasse [9].
Car qui est grup [10], il est tout roupieux.
Mais le pis est mariage : m'en passe !

Prince planteur [11], dire verté vous veux :
Maint Coquillart, pour les dessusdits veux [12],
Avant ses jours piteusement trespasse,
Et a la fin en tire ses cheveux.
Mais le pis est mariage : m'en passe !

# BALLADE VIII

Vous qui tenez vos terres et vos fiefs
Du gentil roy Davyot appellé,
Brouez au large et vous esquarrissez [13],
Et gourdement aiguisez le pellé [14]
[Loing de la roue [15] ou Bernart [16] est allé]
Pour les esclas qui en pevent issir.
Voyez ce jonc [17] ou l'en fait maint soupir ;
Mines taillez et chaussez vos beusicles :
Car en aguect sont, pour vous engloutir,
Anges bossus, rouastres et scaricles [18].

---

1. Veillez bien.    2. Ecus.    3. Jouez-vous de toutes les cordes ?    4. Donnez abri aux poisses et aux filles.    5. Sur le soir.    6. Pourpoints si bien garnis.    7. Visez les bons passants bien mis.    8. Veillez au guet, soyez très prudents.    9. Gardez votre porte jusqu'à son départ.    10. Pris.    11. Escroc.    12. Pour de tels actes.    13. Fuyez.    14. Arpentez le chemin.    15. Justice.    16. Le naïf.    17. La paille des cachots.    18. Les sergents malfaisants, bourreaux et tortionnaires.

Coqueurs de pain et plommeurs affectez [1],
Gaigneurs aussi, vendengeurs de coste [2],
Belistriens perpetuels des piez [3],
Qui sur la roue avez lardons clamez,
En jobelin ou vous avez esté
Par le terrant pour le franc ront querir [4],
Et qui aussi pour la marque fournir [5],
Avez tendu au pain et aux menicles [6] :
Pour tant se font adouter et cremir [7]
Anges bossus, rouastres et scaricles.

Rouges goujons, fargets, embabillez [8],
Gueux gourgourans par qui gueux sont gourez,
Quant a brouart sur la sorne abrouez,
Levez les sons [9], et si tastez lesquelz
Qu'il n'y ait anges desclavés empavez [10]
En la vergne [11] ou vostre han veut loirrir [12] :
Car des sieurs pourriez bien devenir,
Se vous estiez happez en tels bouticles :
Pour tant se faut ataster [13] et cremir
Anges bossus, rouastres et scaricles.

Prince, planteurs [14] et bailleurs de saffirs
Qui sur les dois font la perle blandir,
Belistriens [15], porteurs de vironicles [16],
Sur toutes riens doivent tels gens cremir
Anges bossus, rouastres et scaricles.

# BALLADE IX

Un gier coys [17] de la vergne Cygault
Lué l'autrier en brouant a la loirre [18],
Ou gierement [19] on macquilloit riffaut [20];
Et tout a cop veis jouer de l'escoirre [21]

1. Chercheurs de butin et faux infirmes.      2. Voleur à la tire.
3. Mendiants en perpétuel vagabondage.     4. Pour quémander
l'aumône.     5. Pour entretenir la fille.     6. Menottes.
7. Craindre.     8. Rusés et beaux parleurs.     9. Recueillez les
bruits.     10. Policiers camouflés.     11. Ville.     12. Où vous voulez butiner.     13. Observer.     14. Escrocs.     15. Vagabonds.
16. Reliques.     17. Un cabaret à nous.     18. J'aperçus en allant
au butin.     19. A notre façon.     20. On faisait grande flambée.
21. En train d'escroquer.

Un macquonceau [1] atout deux gruppelins [2]
Brouant au bay, atout deux walequins;
Pour avancer au solliceur de pie [3].
Gaultier lua [4] la gauldrouse gaudie,
Et le marquin qui se polie et coinsse [5],
Babille en gier [6] en pyant a la sie [7],
Pour les duppes faire brouer au minsse [8].

Après moller [9] lué un gueux qui vout [10]
Pour mieux hier desriver la touloire,
(C'est pour livrer aux arques un assaut)
De missemont maquillés a l'esquerre.
Puis dist un gueux : « J'ai paumé deux florins. »
L'autre pollist marquins et dollequins,
Et la marque souvent le gain choisit.
Adraguangier [11] puis dist, le mieux fourni :
« Picquons au veau [12], saint Jacques, je m'espince !
Eschequer [13] fault quant la pie est juchie [14],
Pour les duppes faire brouer au minsse.

Puis dist un gueux qui pourluoit [15] en haut :
J'ai ja paumé [16] tout le gain de ma choire,
Et m'a joué la marque du giffaut [17].
J'en suis mieux prins que volant [18] a la foire.
Elle est brouee envers ses arlouis [19].
C'est tout son fait que d'engaudrer [20] les guains,
A hornangier [21], ains qu'elle soit lubie [22].
De la hanter ma fueille est desgaudie [23],
Quant de gain n'ay plus vaillant une saince [24] :
Mais toujours est gourdement entrongnie [25]
Pour les duppes faire brouer au minsse. »

Prince gallant, quant vous saudrez la hie,
Luez la grime s'elle est desmaquillie,
Et retrallez se le bizouart [26] saince
Qu'elle ne soit de l'assaut de turquie
Pour les duppes faire brouer au minsse.

---

1. Maquereau.    2. Apprentis.    3. Pour payer le marchand
de vin.    4. Je regardai.    5. Le voleur qui fait des manières.
6. Parle en argot.    7. En buvant au pot.    8. Pour tirer de
l'argent aux dupes.    9. Boire.    10. Voulut.    11. Pille-bien
(sobriquet).    12. Dépêchons-nous.    13. Fuir.    14. Quand le
vin est bu.    15. Regardait.    16. Perdu.    17. La femme du
joufflu.    18. Manteau.    19. Partie avec ses souteneurs.
20. Empocher.    21. Bon mâle.    22. Avant qu'on l'ait désirée.
23. Ma bourse est dégonflée.    24. Une bribe.    25. Elle a une
belle gueule.    26. Colporteur.

# BALLADE X

Brouez, Benards [1], eschequez a la sauve,
Car escornez [2] vous estes a la roue [3];
Fourbe, joncheur, chascun de vous se sauve :
Eschec, eschec ! Coquille ci s'enbroue [4] !
Cornette court [5] : nul planteur ne s'i joue.
Qui est en plant, en ce coffre joyeux [6],
Pour ses raisons il a, ains qu'il escroue [7],
Jonc verdoiant, havre du marieux [8] !

Maint Coquillart, escorné de sa sauve [9],
Et desbousé de son ence ou sa poue [10],
Beau de bourdes, blandi de langue fauve [11],
Quide au ront faire aux grimes la moue [12]
Por querre bien afin qu'on ne le noue.
Couplez vous trois a ces beaux sires dieux,
Ou vous aurez le ruffle sur la joue [13],
Jonc verdoiant, havre du marieux.

Qui *stat* plain en gaudie [14] ne se mauve [15],
Luez au bec que l'en ne vous encloue [16] :
C'est mon avis, tout autre conseil sauve.
Car quoi ? aucun de la faux [17] ne se loue.
La fin en est telle qu'on en deloue [18].
Car qui est grup, il a, mais c'est au mieux,
Par la vergne, tout au long de la voue [19],
Jonc verdoiant, havre du marieux.

---

1. Fuyez, benêts.    2. Epluchés.    3. Justice.    4. La
Coquille ici s'empêtre.    5. La corde règne.    6. En ce joyeux
cachot.    7. Avant d'être écroué.    8. Osier bien vert, recours
du pendeur.    9. Privé de sa liberté.    10. Mutilé de l'oreille et
du poing.    11. A la langue dorée.    12. Pense avec de l'argent
faire la nique aux juges.    13. Le feu sur les fesses.    14. Qui est
dans la joie.    15. Ne bouge.    16. Faites bien attention qu'on ne
vous emprisonne.    17. Du fouet.    18. On en est blâmé.    19. Du
chemin.

Vive David, saint archquin, la baboue [1] !
Iean mon ami, qui les fueilles desnoue [2],
Le vendengeur, beffleur comme une choue [3]
LOin de son plain, de ses flots curieux [4]
Noe [5] beaucoup, dont il reçoit fressoue,
Jonc verdoiant, havre du marieux.


## BALLADE XI

Se devers quai, par un temps d'ivernois [6],
Veiz abrouer a la vergne [7] Cygaut
Marques de plan, [8] dames et audinas,
Et puis merchans, tous tels qu'au mestier faut
. . . . . . . . . . . . . . . . . . . . . .
Gueux affinés, allegris et floars [9]
Mareus, arves, pimpres, dorlots et fars [10],
Qui par usaige, à la vergne jolie
Abrouerent a flot [11] de toutes pars
Pour maintenir la joyeuse folie.

Pour mieux abattre et oster le broullart
Adraguèrent... maint crupaut [12]
De rumatin et puis mole sines gras [13]
Truye marir sans avancer ravaut [14]
. . . . . . . . . . . . . . . . . . . . .
Babillangier [15] surtous fais et sur ars,
Tant qu'il n'y eust de l'arton [16] sur les cas [17]
Broquans dorlots, grain, gain, aubeflorie [18]
Que tout ne fust desployé et en pars [19],
Pour maintenir la joyeuse folie.

Pour mieux polir et desbouser musars,
On pollua [20] des luans, bas et haut,
Tant qu'il n'y eust de vivres en caras [21];
Puis fist on faire a saint archquin un saut [22].

---

1. Le davier, les dés et le jacquet.    2. Coupe les bourses.
3. Larron comme une chouette.    4. De ses copains anxieux.
5. Nage (au fig.)    6. D'hiver.    7. Je vis abouler à la ville.
8. Filles de joie.    9. Rusés et tricheurs.    10. Malicieux et far-
ceurs.    11. Accoururent en foule.    12. Amenèrent... maint pot.
13. ?.    14. ?.    15. Babillards.    16. Pain.    17. ?.    18. En-
tassant angelots, écus et blancs.    19. Dépensé et partagé.    20. Ins-
pecta à la ronde.    21. En cachette.    22. On joua aux dés.

Après, doutant de ces anges l'assaut [1]
On verrouilla et serra les busars,
Pour mieux blanchir et desbouser coquars.
La ot un gueux son endosse polie [2],
Puis on alla emprunter aux lombars
Pour maintenir la joyeuse folie.

1. L'arrivée des sergots.    2. Un gueux eut son vêtement
volé.

# NOMS PROPRES DIFFICILES A IDENTIFIER

ABREUVOIR POPIN. Abreuvoir situé sur la rivière droite de la Seine.
ALENÇON (le duc d'). Jean I^er, mort à Azincourt.
ALIS. Aelis, nom de jeune fille, fréquent dans les chansons.
ALISSANDRE. Alexandre le Grand.
ALPHASAR. Alphaxad, roi des Mèdes.
ALPHONSE. Alphonse V, roi d'Aragon (1385-1458).
AMON. Amnon, fils de David.
ANGELOT L'ERBIER. Herboriste de la Cité.
ARCHETRECLIN. Architriclin, des Noces de Cana.
ARCHIPIADE. Alcibiade, qu'on prenait, non sans malice, pour une femme.
ARTUS. Arthur III, duc de Bretagne, mort en 1458.
AUSSIGNY (Thibaut d'). Evêque d'Orléans, mort en 1473.
AVERROYS. Averroès, commentateur d'Aristote.

BAILLY (Jean de). Procureur en Parlement.
BARILLET (le). Taverne située près du Châtelet.
BARRE (la). Voir MARCHANT.
BASANIER (Pierre). Notaire au Châtelet, puis clerc criminel.
BAUDE. Frère du couvent des Carmes.
BEHAGNE. Bohême.
BELLEFAYE (Martin de). Lieutenant criminel à la Prévôté de Paris.
BERTHE AU GRAND PIED. La mère de Charlemagne.
BIETRIS. Béatrice.
BILLY. Tour située sur la rive droite de la Seine.
BLANCHE (la reine). Peut-être Blanche de Castille.
BLARU. Orfèvre du Pont-au-Change.
BOBIGNON. Procureur au Châtelet.
BRUNEL. Seigneur de Grigny, près de Corbeil.
BRUYÈRES (Mlle de). Propriétaire de l'hôtel jouxtant le Pet-au-Diable.
BURIDAN. Recteur de l'Université de Paris, au XIV^e siècle.

CALAIS (Jean de). Notaire au Châtelet.
CALIXTE. Alphonse Borgia, pape sous le nom de Calixte III.
CARDON (Jacquet). Drapier, place Maubert.
CAYEUX (Colin de). Brigand, pendu en 1460.
CHAPPELAIN (Jean). Sergent de la Douzaine.
CHARRUAU (Guillaume). Maître ès Arts à Paris, en 1449.
CHEVAL BLANC. Hôtellerie, rue de la Harpe.
CHOLET (Casin). Sergent au Châtelet... emprisonné en 1465.
CHYPRE (roi de). Jean III de Lusignan, mort en 1458.
CLAQUIN. Bertrand du Guesclin.
COLOMBEL. Conseiller du roi.
CORNU (Jean). Clerc criminel au Châtelet.
COTART (Jean). Procureur et promoteur en cour d'Eglise.
COTIN (Guillaume). Conseiller au Parlement.
COURAUD (Andry). Procureur en Parlement.
COUTURE DU TEMPLE. Jardin maraîcher, rue Vieille-du-Temple.
CROSSE (la). Taverne de Paris, rue Saint-Antoine.
CUL D'OUE (Michaut). Prévôt de la Grande Confrérie aux Bourgeois.

DEHORS (Pierre de la). Lieutenant criminel, et boucher.
DIX-HUIT CLERCS. Collège installé à l'Hôtel-Dieu.

EGYPTIENNE. Sainte Marie l'E...
ESBAILLART. Abélard.
ESTOUTEVILLE (Robert d'). Prévôt de Paris.

FLORA. Courtisane romaine.
FOUR (Michaut du). Sergent au Châtelet.
FOURNIER. Procureur de Saint-Benoît au Châtelet.

GALERNE (Colin). Barbier et marguillier de Saint-Germain-le-
Vieux.
GARDE (Jean de la). Riche épicier de Paris.
GARNIER (Etienne). Clerc du Guichet au Châtelet en 1459.
GENEVOIS (Pierre). Procureur au Châtelet.
GONTIER (Franc). Personnage de pastourelle, remis à la mode par
Philippe de Vitry.
GOSSOUYN (Girard). Usurier, notaire au Châtelet.
GRAND GODET (le). Taverne, place de Grève.
GROS FIGUIER (le). Maison mal famée, sur la rive droite.
GROSSE MARGOT. Enseigne d'une maison mal famée.
GUEULDRY (la maison Guillot). Maison d'un boucher insol-
vable.

HAREMBURGIS. Erembourg, fille du comte du Maine (XIIIe siècle).
HEAULME (le). Taverne, rue Saint-Jacques.
HEAULMIERE (la belle). Maîtresse de Nicolas d'Orgemont.
HENRY (Cousin). Exécuteur de la justice parisienne.
HESSELIN (Denis). Bourgeois qui sera prévôt après 1470.
HUE CAPEL. Hugues Capet.

IDOLE (Marion l'). Prostituée.

JAMES (Jacques). Riche architecte, propriétaire d'étuves.
JOLIS (Noël). Rival de Villon.
JOUVENEL (Michel). Bailli de Troyes.

LADRE (le). Lazare le lépreux.
LANCELOT. Ladislas d'Autriche.
LANTERNE (la). Maison mal famée.
LAURENS (Colin). Spéculateur et bailleur de fonds.
LAURENS (Jean). Chapelain, un des juges de Guy Tabarie.
LOMBARD (le). Pierre, philosophe de Bologne (XIIe siècle).
LOMER (Pierre). Clerc de Notre-Dame.
LORÉ (Ambroise de). Epouse de Robert d'Estouteville.
LOUP (Jean le). Fournisseur de la ville de Paris.
LOUVIERS (Nicolas de). Conseiller à la chambre des Comptes.

MACAIRE. Mauvais cuisinier.
MACEE D'ORLÉANS. Macé d'Orléans, bailli de Berry, ici fémi-
nisé.
MACHECOUE (la). Poulaillère et rôtisseuse à Paris.
MARCEAU (Jean). Prêteur sur gages.
MARCHANT (Perrenet). Bâtard de la Barre, sergent de la Douzaine.
MARCHANT (Ythier). Maître de la Chambre aux deniers en 1461.
MAUBUE. Fontaine, rue Saint-Martin.
MAUTAINT (Jean). Examinateur au Châtelet.
MEREBEUF (Pierre). Drapier de la rue des Lombards.
MERLE (Germain de). Changeur, contrôleur des finances.
MICHAUT. Héros légendaire de prouesses amoureuses.
MILLIERES (Jeanne de). Amie de Robert Vallée.

MONTIGNY (Régnier de). Affilié à la bande des Coquillards, pendu en 1457.
MONTPIPEAU. Forteresse, près de Meung-sur-Loire.
MOREAU (Jean). Rôtisseur à Paris.
MOUTON (Le). Enseigne, rue de la Harpe.
MULE (La). Taverne, rue Saint-Jacques.

OCTOVIEN. L'empereur Octavien.
ORFEVRE DE BOIS (l'). Jean Mahé, sergent au Châtelet.

PANIER VERT (le). Maison mal famée.
PERDRIER (François et Jean). L'un fut receveur royal à Caudebec, l'autre concierge du château royal des Loges.
PIERRE AU LAIT (la). Rue des Ecrivains.
POMME DE PIN (la). Taverne en la Cité.
POULLIEU (Jean de). Docteur de l'Université de Paris (xıvᵉ siècle).
POURRAS. Port-Royal.
PREVOT DES MARECHAUX. Tristan l'Hermite.
PRINCE DES SOTS. Chef d'une confrérie de jongleurs et de comédiens.
PROVINS (Jean de). Pâtissier.

RAGUIER (Jacques). Cuisinier et grand buveur.
RAGUIER (Jean). Sergent du prévôt de Paris.
REGNIER. Le roi René d'Anjou.
RICHIER (Denis). Sergent du roi.
RICHIER (Pierre). Maître en théologie.
RIOU (Jean). Capitaine des archers.
ROBERT. Bourreau d'Orléans.
ROSNEL (Nicole). Examinateur au Châtelet.
ROUSSEVILLE (Pierre de). Concierge du château de Gouvieux, alors très délabré.
RU (Guillaume du). Maître de la confrérie des marchands de vin.
RUEL (Jean de). Frère d'un épicier, auditeur au Châtelet.

SAINT AMANT (Pierre de). Clerc du Trésor.
SAINTE AVOIE. Couvent d'Augustines, rue du Temple.
SARDANA, SARDANAPALUS. Sardanapale.
SCOTISTE (le roi). Jacques II d'Ecosse.
SENECHAL (le). Pierre de Brézé, tombé en disgrâce en 1471.

TABARIE (Guy). Maître ès Arts, participa au vol du Collège de Navarre.
TACQUE THIBAUT. Mignon du duc de Berry.
TARANNE (Charlot). Changeur parisien.
TRASCAILLE (Rolinet). Receveur de Château-Thierry.
TRICOT (Thomas). Maître ès Arts (1452).
TROIS LIS. Geôle du Châtelet.
TROU PERRETTE (le). On y jouait, entre autres jeux, à la paume.
TROUVÉ (Jean). Maître boucher en 1458.
TRUMILLIERES (les). Taverne près des Halles.
TURGIS (Robin). Tavernier, messager de la justice du Trésor.
TURLUPINS. Membres d'une célèbre secte d'hérétiques.

VACHE (la). Enseigne de la rue Troussevache.
VACQUERIE (François de la). Promoteur de l'Officialité.
VALETTE (Jean). Jean Valet, sergent du Châtelet.
VALLEE (Robert). Procureur au Châtelet.
VITRY (Thibaut de). Chanoine, conseiller au Parlement.
VOLANT (Guillaume). Riche marchand, vendeur de sel.

# TABLE DES MATIÈRES

### POÉSIES DIVERSES

### LE JARGON ET JOBELIN

# GF — TEXTE INTÉGRAL — GF

3608-1970. — IMPRIMERIE-RELIURE MAME
N° d'édition 8143. — 1er trimestre 1965. — PRINTED IN FRANCE.